O MEU MELHOR

MARTHA MEDEIROS
O MEU MELHOR
100 CRÔNICAS DE SUCESSO **+ 4** INÉDITAS

Copyright © Martha Medeiros, 2019
Copyright © Editora Planeta do Brasil, 2019
Todos os direitos reservados.

Preparação: Carmen T. S. Costa
Revisão: Andressa Veronesi
Diagramação: Triall Editorial Ltda
Capa: Tereza Bettinardi
Imagem de capa: Carin Mandelli

Dados Internacionais de Catalogação na Publicação (CIP)
Angélica Ilacqua CRB-8/7057

Medeiros, Martha, 1961-
 O meu melhor: 100 crônicas de sucesso + 4 inéditas / Martha Medeiros. – São Paulo: Planeta do Brasil, 2019.
 240 p.

ISBN: 978-85-422-1592-2

1. Crônicas brasileiras I. Título

19-0587   CDD B869.8

Acreditamos
nos livros

Este livro foi composto em Adobe Garamond Pro e impresso pela Gráfica Santa Marta para a Editora Planeta do Brasil em abril de 2019.

2019
Todos os direitos desta edição reservados à
EDITORA PLANETA DO BRASIL LTDA.
Rua Bela Cintra 986, 4º andar – Consolação
São Paulo – SP CEP 01415-002
www.planetadelivros.com.br
faleconosco@editoraplaneta.com.br

Sumário

O que acontece no meio 9
A dor do crescimento 11
A nova minoria 13
Vende frango-se 16
Adoráveis malucos 18
O medo de errar 20
Você, eu e nossos amigos 22
A moça do carro azul 24
Desejo que desejes 26
O que mais você quer? 28
O violinista no metrô 30
A separação como um ato de amor 33
O cartão 36
Oh, Lord! 39
O cara do outro lado da rua 41
Dentro de um abraço 44
Casa comigo 46
Qualquer um 48
Ela 50
Carta ao João Pedro 52
Carta ao Rafael 55
Quando Deus aparece 58
A capacidade de se encantar 60
O novo tarado 62
A morte como consolo 64
Gambá com gambá 67
Coragem 69

Futebolzinho 71
Em que esquina dobrei errado? 73
Uma mulher entre parênteses 76
O amor, um anseio 78
Corpo interditado 81
Vida parte 2 84
A melhor versão de nós mesmos 87
A arte salva 89
Admitir o fracasso 91
De onde vem a nossa dor 93
Meu ladrão era um amor 95
Handle with care 97
Levantando voo 99
A desagradável tarefa de fazer-se odiar 101
Adúlteros 103
Viciados em companhia 105
Nem todo mundo 107
O amor e tudo que ele é 109
Dublê 111
Do mês que vem não passa 113
A morte devagar 115
O mulherão 117
O mundo não é maternal 119
Pregos 121
O centro das atenções 123
A dor que dói mais 125
Dois minutos de ontem à noite 127
Me deixa quietinho aqui 129
A Amazônia e a distância 131
Um Deus que sorri 134

Amor e perseguição	136
Acordo de união instável	138
Amores inocentes	140
Ou você amadurece, ou se falsifica	143
Avec élégance	146
Mulher de um homem só	148
Nossos velhos	151
O homem de roupão	153
Querer mesmo	155
O papel higiênico da empregada	157
Povoar a solidão	159
Todo o resto	161
As incríveis Hulk	163
A bota amarela	166
A juventude da maturidade	168
Um cara difícil	170
Briga de rua	173
Nós	176
A sala de espera do analista	178
Morri	180
Quanta felicidade eu aguento?	182
O Michelangelo de cada um	184
Feliz aniversário	186
Relações curtas	188
Música × comida	190
As contradições do amor	192
Gafes virtuais	195
Se você estivesse sozinho	197
Ilustríssimos	199
O grito	201

Enquanto isso, nos bastidores do universo 203
O nosso plural e o de vocês 205
Fator uau 207
Andróginos 209
A pessoa certa 211
Eureka! 213
Em que você está pensando? 215
Kafka e os estudos 217
Só temos esta 220
A sogra do meu marido 222
Sexo é o novo amor 224
Vida resolvida 226
Uma oração para os novos tempos 229
A escolhida 231
Adeus à dor 234
Medo de intimidade 236
A sério 238

O que acontece no meio

Vida é o que existe entre o nascimento e a morte. O que acontece no meio é o que importa.

No meio, a gente descobre que sexo sem amor também vale a pena, mas é ginástica, não tem transcendência. Que tudo o que faz você voltar pra casa de mãos abanando (sem uma emoção, um conhecimento, uma surpresa, uma paz, uma ideia) foi perda de tempo. Que a primeira metade da vida é muito boa, mas da metade para o fim pode ser ainda melhor, se a gente aprendeu alguma coisa com os tropeços lá do início. Que o pensamento é uma aventura sem igual. Que é preciso abrir a nossa caixa-preta de vez em quando, apesar do medo do que vamos encontrar lá dentro. Que maduro é aquele que mata no peito as vertigens e os espantos.

No meio, a gente descobre que sofremos mais com as coisas que imaginamos que estejam acontecendo do que com as que acontecem de fato. Que amar é lapidação, e não destruição. Que certos riscos compensam – o difícil é saber previamente quais. Que subir na vida é algo para se fazer sem pressa. Que é preciso dar uma colher de chá para o acaso. Que tudo que é muito rápido pode ser bem frustrante. Que Veneza, Mykonos, Bali e Patagônia são lugares excitantes, mas que incrível mesmo é se sentir feliz dentro da própria casa. Que a vontade é quase sempre mais forte que a razão. Quase? Ora, é sempre mais forte.

No meio, a gente descobre que reconhecer um problema é o primeiro passo para resolvê-lo. Que é muito narcisista ficar se consumindo consigo próprio. Que todas as escolhas geram dúvida, todas. Que depois de lutar pelo direito de ser diferente, chega a bendita hora de se permitir a indiferença. Que adultos se divertem mais do que os adolescentes. Que uma perda, qualquer perda, é um aperitivo da morte – mas não é a morte, que essa só acontece no fim, e ainda estamos falando do meio.

No meio, a gente descobre que precisa guardar a senha não apenas do banco e da caixa postal, mas a senha que nos revela a nós mesmos. Que passar pela vida à toa é um desperdício imperdoável. Que as mesmas coisas que nos exibem também nos escondem (escrever, por exemplo). Que tocar na dor do outro exige delicadeza. Que ser feliz pode ser uma decisão, não apenas uma contingência. Que não é preciso se estressar tanto em busca do orgasmo, há outras coisas que também levam ao clímax: um poema, um gol, um show, um beijo.

No meio, a gente descobre que fazer a coisa certa é sempre um ato revolucionário. Que é mais produtivo agir do que reagir. Que a vida não oferece opção: ou você segue, ou você segue. Que a pior maneira de avaliar a si mesmo é se comparando com os demais. Que a verdadeira paz é aquela que nasce da verdade. E que harmonizar o que pensamos, sentimos e fazemos é um desafio que leva uma vida toda, esse meio todo.

Dezembro de 2011

A dor do crescimento

Eu tentava descrever como era aquela dor, mas não encontrava jeito. Acontecia nas pernas, nas duas ao mesmo tempo. Não era fadiga muscular, não era um machucado, nem torção, nada tinha inflamado, eu não havia batido com elas numa mesa, nem tropeçado, não parecia nem mesmo dor, e sim um incômodo, um alerta interno. Eu podia caminhar, até correr, se quisesse. Mas não estava tudo bem, e quando eu vencia a vergonha de não conseguir explicar exatamente o que sentia e me queixava daquilo que nem parecia existir de tão aleatório, alguém dizia: não esquenta, é a dor do crescimento.

Um diagnóstico poético demais para uma criança. Como assim, dor do crescimento? Eu crescia numa velocidade irritantemente lenta, poucos centímetros por ano. Não acreditava que esse ganho ínfimo de estatura, imperceptível, pudesse originar dor. Dor vem do choque, vem do baque, deixa marca, tem motivo, não poderia nascer assim de um alongamento que ninguém conseguia enxergar a olho nu.

Reumatismo também não era, porque reumatismo era doença de avós. Tudo bem que eu já estivesse com quase 11 anos, mas não era assim tão velha.

"É dor do crescimento, menina, todo mundo tem, não chateia. Já já passa."

Não passou. Apenas subiu das pernas para o coração e depois foi ainda mais para cima, alojando-se no cérebro. Abandonou os membros inferiores e passou a fazer turismo em duas regiões de mais prestígio. Essa transferência aconteceu logo que eu parei de alongar verticalmente e virei o que se chama por aí de gente grande e estabilizada.

Mas gente grande continua crescendo?

Pois é. Não me peça para explicar, porque sigo não encontrando um jeito de. Às vezes dói no peito, às vezes na cabeça, às vezes nos dois lugares ao mesmo tempo, mas não há nada sangrando, e também não é fadiga, mesmo já se tendo vivido bastante e cansativamente. Torção... Não, também não. De novo, ninguém esbarrou numa mesa, nenhuma parte do corpo ficou roxa, não é um arranhão, nem parece dor.

Então é o quê? Um esgotamento por fazer sempre as mesmas perguntas irrespondíveis, por se retorcer com questões que aparentam ter soluções simples (mas não têm), por não aceitar que seja difícil o que deveria ser fácil, por se flagrar tendo reações contundentes quando a vontade era de chorar baixinho, por tentar estabelecer uma forma de vida que organize o caos, mesmo sabendo que o caos está sempre atrás da porta rindo das nossas tentativas de controlá-lo. Nada fica roxo, mas turva a visão. Nada deixa cicatriz aparente, mas não fecha. Fica aberto, latente, insistentemente lembrando a existência daquilo que não se explica, sobre o qual pouco se conversa, mas que, de alguma forma, também faz a gente ganhar em estatura.

Ainda é a dor do crescimento, e não cessa.

ABRIL DE 2014

A nova minoria

É um grupo formado por poucos integrantes. Acredito que hoje estejam até em menor número do que a comunidade indígena, que se tornou minoria por força da dizimação de suas tribos. A minoria a que me refiro também está sendo exterminada do planeta, e pouca gente tem se dado conta. Me refiro aos sensatos.

A comunidade dos sensatos nunca se organizou formalmente. Seus antepassados acasalaram-se com insensatos, e geraram filhos, netos e bisnetos mistos, o que poderia ser considerada uma bem-vinda diversidade cultural, mas não resultou em grande coisa. Os seres mistos seguiram procriando com outros insensatos, até que a insensatez passou a ser o gene dominante da raça. Restaram poucos sensatos puros.

Reconhecê-los não é difícil. Eles costumam ser objetivos em suas conversas, dizendo claramente o que pensam e baseando seus argumentos no raro e desprestigiado bom senso. Analisam as situações por mais de um ângulo antes de se posicionarem. Tomam decisões justas, mesmo que para isso tenham que ferir suscetibilidades. Não se comovem com os exageros e delírios de seus pares, preferindo manter-se do lado da razão. Seriam pessoas frias? É o que dizem deles, mas ninguém imagina como sofrem intimamente por não serem compreendidos.

O sensato age de forma óbvia. Ele conhece o caminho mais curto para fazer as coisas acontecerem, mas as coisas só acontecem quando há um empenho conjunto. Sozinho ele não pode fazer nada contra a avassaladora reação dos que, diferentemente dele, dedicam suas vidas a complicar tudo. Para muita gente, a simplicidade é sempre suspeita, vá entender.

O sensato obedece a regras ancestrais, por exemplo, dar valor ao que é emocional e desprezar o que é mesquinho. Ele não ocupa o tempo dos outros com fofocas maldosas e de origem incerta. Ele não concorda com muita coisa que lê e ouve por aí, mas nem por isso exercita o espírito de porco agredindo pessoas que não conhece. Se é impelido a se manifestar, defende sua posição com ideias, sem precisar usar o recurso da violência.

O sensato não considera careta cumprir as leis, é a parte facilitadora do cotidiano. A loucura dele é mais sofisticada, envolve rompimento com algumas convenções, sim, mas convenções particulares, que não afetam a vida pública. O sensato está longe de ser um certinho. Ele tem personalidade, e se as coisas funcionam pra ele, é porque ele tem foco e não se desperdiça, utiliza seu potencial em busca de eficácia, em vez de gastar sua energia com teatralizações que dão em nada.

O sensato privilegia tudo o que possui conteúdo, pois está de acordo com a máxima que diz que a vida é muito curta para ser pequena. Sendo assim, ele faz valer o seu tempo. Não tem paciência para os que são regidos pela vaidade e que não falam nada que preste. Constrange-se de testemunhar o vazio da banalidade sendo passado de geração para geração.

Ouvi de um sensato, dia desses: "Perdi minha turma. Eu convivia com pessoas criativas, que falavam a minha língua, que prezavam a liberdade, pessoas antenadas que não perdiam tempo com mediocridades. A gente se dispersou". Ele parecia um índio.

Mesmo com poucas chances de sobrevivência, que se morra em combate. Sensatos, resistam.

JANEIRO DE 2010

Vende frango-se

Alguém encontrou esta pérola escrita numa placa em frente a um mercadinho de um morro do Rio de Janeiro: "Vende frango-se". É poesia? Piada? Apenas mais um erro de português? É a vida e ela é inventiva. Eu, que estou sempre correndo atrás de algum assunto para comentar, pensei: isso dá samba, dá letra, dá crônica. Vende frango-se, compra casa-se, conserta sapato-se.

Prefiro isso às abreviaturas do universo virtual, prefiro a ingenuidade de um comerciante se comunicando do jeito que sabe: vende carne-se, vende carro-se, vende geleia-se.

Não incentivo a ignorância, apenas concedo um olhar mais adocicado ao que é estranho a tanta gente, o nosso idioma. Tão poucos estudam, tão poucos leem, queremos o quê? Ao menos trabalham, negociam, vendem frangos, ao menos alguns compram, comem e os dias seguem, não importa a localização do sujeito indeterminado. Vive-se.

Talvez eu tenha é ficado agradecida a esse senhor ou senhora que se anunciou de forma errônea, porém inocente, já que é do meu feitio também trocar algumas coisas de lugar, e nem por isso mereço chicotadas, ao contrário: o comerciante do morro me incentivou a me perdoar. Esquecer o nome de um conhecido, não reconhecer uma voz ao telefone, chamar Gustavos de Olavos, confundir os verbos e embaralhar-se toda para falar: sou a rainha das gafes, dos tropeços involuntários. Tento transformar em folclore, já que falta de educação não é. Conserta destrambelhada-se. Eu me ofereço para o serviço. Quem não? Sabemos todos como é constrangedor não acertar, mas lá do alto do seu boteco, ele nos absolve. Ele, o autor de um absurdo, mas um absurdo muito delicado.

Vende frango-se, e eu acho graça, e achar graça é uma coisa boa, sinal de que ainda não estamos tão secos, rudes e patrulheiros, ainda temos grandeza para promover o erro alheio a uma inesperada recriação da gramática, fica eleito o dono da placa o Guimarães Rosa do morro, vale o que está escrito, e do jeito que está escrito, uma vez que entender, todos entenderam. Fica aqui minha homenagem à imperfeição.

NOVEMBRO DE 2005

Adoráveis malucos

A cena: o primeiro vinho da vida de vocês. Sentados frente a frente, cada um revela suas músicas favoritas, se prefere praia ou campo, se gosta de ler, se pratica esporte, se já morou em outra cidade. Sem esquecer o indefectível: qual o seu signo?

Ao fim da noite, haverá mesmo uma pista segura sobre as chances da relação? A gente pensa que sim, mas a vida mostra que nada disso interessa: nem o time que torce, nem se sabe cozinhar, nem se é de Áries ou Libra. Segundo o filósofo Alain de Botton, a gente deveria perguntar no primeiro encontro: qual é a sua loucura? Este seria um bom começo para avaliar se temos capacidade de segurar a onda do outro.

Não há como negar que somos todos meio esquisitos. Quem é que tem todos os parafusos no lugar? Combinado: ninguém. Então admitir isso seria um jeito mais honesto de iniciar uma história. O cara se abre: "Costumo fazer caminhadas durante a madrugada, preciso ficar totalmente sozinho no dia do meu aniversário, tenho um histórico de assédio moral que me perturba até hoje, fico meio enfurecido quando alguém insiste em saber sobre minha infância".

Sua vez de alertá-lo: "Não consigo ficar sozinha nem por cinco minutos, não posso engordar 200 gramas que passo três dias sem comer, janelas abertas me causam pânico, desconfio que sou filha da minha tia".

Achou que iria ser facinho? Praia ou campo?

O ser humano, qualquer um, é um depósito de angústias, carências, traumas, neuras. Não somos apenas o nosso gosto para cinema, o nosso jeito de vestir, o nosso prato favorito – se fôssemos apenas isso, amar seria como jogar dominó. Mas o jogo entre dois amantes é mais complexo. Aos poucos, vão aparecendo os medos secretos, a dificuldade em lidar com certas emoções, a fixação em ideias estapafúrdias, o complexo de inferioridade, a ansiedade incontrolável, as perdas pelo caminho.

Nada disso é exatamente uma loucura, mas é um pacote existencial que é colocado no colo de quem deseja se relacionar conosco. A pessoa terá que amar não apenas nosso par de olhos verdes e nossa bicicleta na garagem, mas todas as estranhezas que cultivamos e a dor que tentamos subestimar.

O amor, em si, não é difícil. O amor é fácil. Difíceis somos nós. Somos uma simpática encrenca para quem se atreve a entrar na nossa vida e ficar conosco por mais de dez dias, prazo suficiente para lembrar que perfeição não existe.

Alguém vai desistir de amar por causa disso? Ao contrário: o desafio é estimulante. Quase competimos para ver quem é mais maníaco, quem tem mais problemas familiares, quem se irrita mais com a rotina, quem explode mais – pra tudo terminar em chamegos embaixo do lençol, onde é obrigatório se entender.

Taí a graça e a desgraça de quem resolve dividir o mesmo teto, taí a bagagem surpresa que cada um traz de casa. Qual é a sua loucura? A minha, só conto depois do segundo cálice.

Julho de 2018

O medo de errar

"A gente é a soma das nossas decisões."

É uma frase da qual sempre gostei, mas lembrei dela outro dia num local inusitado: dentro do supermercado. Comprar maionese, bandeide e iogurte, por exemplo, hoje requer o que se chama de expertise. Tem maionese tradicional, light, premium, com leite, com ômega 3, com limão. Bandeide, há de todos os formatos e tamanhos, nas versões transparente, extratransparente, colorido, temático, flexível. Absorvente com abas e sem abas, com perfume e sem perfume, cobertura seca ou suave. Creme dental contra o amarelamento, contra o tártaro, contra o mau hálito, contra a cárie, contra as bactérias. É o melhor dos mundos: aumentou a diversificação. E, com ela, o medo de errar.

Assim como antes era mais fácil fazer compras, também era mais fácil viver. Para ser feliz, bastava estudar (Magistério para as moças), fazer uma faculdade (Medicina, Engenharia ou Direito para os rapazes), casar (com o sexo oposto), ter filhos (no mínimo dois) e manter a família estruturada até o fim dos dias. Era a maionese tradicional.

Hoje existem várias "marcas" de felicidade. Casar, não casar, juntar, ficar, separar. Homem e mulher, homem com homem, mulher com mulher. Ter filhos biológicos, adotar, inseminação artificial, barriga de aluguel

– ou simplesmente não tê-los. Fazer intercâmbio, abrir o próprio negócio, tentar um concurso público, entrar para a faculdade. Mas estudar o quê? Só de cursos técnicos, profissionalizantes e universitários há centenas. Computação Gráfica ou Informática Biomédica? Editoração ou Ciências Moleculares? Moda, Geofísica ou Engenharia de Petróleo?

A vida padronizada podia ser menos estimulante, mas oferecia mais segurança, era fácil "acertar" e se sentir um adulto. Já a expansão de ofertas tornou tudo mais empolgante, só que incentivou a infantilização: sem saber ao certo o que é melhor para si, surgiu o pânico de crescer.

Hoje, todos parecem ter dez anos menos. Quem tem 17, age como se tivesse 7. Quem tem 28, parece 18. Quem tem 39, vive como se fossem 29. Quem tem 40, 50, 60, mesma coisa. Por um lado, é ótimo ter um espírito jovial e a aparência idem, mas até quando se pode adiar a maturidade?

Só nos tornamos adultos quando perdemos o medo de errar. Não somos apenas a soma das nossas escolhas, mas também das nossas renúncias. Crescer é tomar decisões e depois conviver em paz com a dúvida. Adolescentes prorrogam suas escolhas porque desejam ter certeza absoluta, errar seria a morte. Já os adultos sabem que nunca terão certeza absoluta de nada, e sabem também que só a morte física é definitiva. Já "morreram" diante de fracassos e frustrações, e voltaram pra vida. Ao entender que é normal morrer várias vezes numa única existência, perdemos o medo – e finalmente crescemos.

Setembro de 2011

Você, eu e nossos amigos

Antes da era tecnológica, a gente via os amigos de vez em quando, em encontros eventuais. Agora eles estão na palma da mão. Sabemos tudo o que eles pensam e o que fazem, as informações são atualizadas em minutos, e o resultado disso? Fé na humanidade.

Se depender de você, de mim e de nossos 3.768 amigos, ou 7.543, ou 21.544 (quantos amigos você tem?), o mundo está salvo. Porque, veja bem: somos todos bons. Somos todos justos. Somos todos inteligentes. Somos todos amorosos. Somos todos honestos. Escândalos políticos não têm nada a ver com a gente: somos todos críticos, atentos, lúcidos. E estamos todos estupefatos, lógico. Acreditávamos que a sociedade era íntegra, já que somos todos íntegros.

Todos nós amamos os animais, adotamos cachorros de rua, gatos abandonados, porquinhos-da-índia. Cuidamos deles, nos importamos com eles, temos por eles um amor que se equipara ao amor que sentimos por nossos filhos. Ah, nossos filhos. Somos todos pais espetaculares de filhos que não se drogam, não bebem, não são jovens indiferentes, não são preguiçosos, não são acomodados, não estão perdidos, não são sedentários. Foram crianças excepcionais e não poderia dar noutra coisa: hoje são adultos incríveis. É de família. Benção do DNA.

Somos todos ecologistas, amantes da natureza, adoradores de crepúsculos, mares, florestas. Não pisamos na grama, não poluímos os rios, não jogamos bagana de cigarro no chão, somos a favor da energia eólica e solar, reverentes às flores, às montanhas, às cachoeiras, às árvores. Tudo documentado em fotos, milhares delas.

Somos a favor dos refugiados, das empregadas domésticas, dos gordos, dos gays, dos pobres, das mulheres, das crianças, dos negros, dos chineses, dos sírios, dos mendigos, dos feios, dos albinos, dos transgêneros, dos haitianos, dos anões, dos favelados, dos nudistas.

Somos todos conscientes e defendemos os direitos humanos.

Somos todos bem-amados, bem-humorados e temos bom gosto. Todos nós respeitamos as regras de trânsito. E o nosso time só perdeu porque o juiz roubou.

Não temos religião, mas somos espiritualizados. Não fazemos parte de nenhuma ONG, mas vestimos a camiseta. Dirigimos carros, mas damos o maior apoio para os ciclistas. Não somos vaidosos, apenas usamos nossa imagem a fim de enaltecer boas ideias e intenções. Estamos a serviço de um mundo melhor. Somos todos messias. Todos gurus.

E todos nós votamos corretamente nas últimas eleições.

O inferno são os outros. Jamais você, eu e nossos amigos. Os 3.768, os 7.543, os 21.544 que estão conectados, que vivem na bolha da autorreverência e que não possuem defeitos, a não ser este, que é meio suspeito: o de não ter defeito algum.

Outubro de 2015

A moça do carro azul

Era a semana que antecedia o Natal. Os carros entupiam as ruas, todos querendo aproveitar um sinal verde, uma vaga para estacionar, chegar mais cedo ao shopping. Eu era apenas mais uma no trânsito, quase sem olhar para os lados, concentrada em alguma tarefa inadiável. Mas de repente o que era movimento e pressa à minha volta parou.

Estava fazendo o retorno numa grande avenida quando passou por mim um carro azul com uma moça na direção. O vidro dela estava aberto e ela não parecia ter nada a esconder: chorava. Não um choro à toa. Ela chorava por uma dor aguda, uma dor de respeito, era um transbordamento. Passou reto por mim e eu concluí meu retorno, e quis o destino que a próxima sinaleira fechasse e alinhasse nossos dois carros, eu ao volante do meu, atônita, ela ao volante do dela, desmoronando.

Eu deveria ter ficado na minha, mas era quase Natal, e quase todos estão tão sós, quase ninguém se importa com os outros, e antes que trocasse o sinal, abri a janela do assento do passageiro – sem nenhum passageiro – e perguntei: "Você precisa de ajuda?".

Ela estava com a cabeça apoiada no encosto do banco, olhando em frente para o nada, chorando ainda. Então virou a cabeça lentamente para mim – pensei que iria dizer para eu me preocupar com a minha vida – e disse serenamente: "Já vai passar". E quase sorriu.

Eu respondi "Fica bem", fechei o vidro e avancei meu carro um pouquinho pra frente, para desalinhar com o dela e deixá-la livre dos meus olhos e da minha atenção.

Passei o resto do trajeto tentando adivinhar se ela havia rompido uma relação de amor, se havia perdido um filho, se havia recebido o diagnóstico de uma doença grave, se havia discutido com o marido, se estava com saudades de alguém, se estava ouvindo uma música que a fazia lembrar de uma época terrível – ou sensacional. O que a fazia chorar quase ao meio-dia, numa avenida tão movimentada, sem nem mesmo colocar um óculos escuros ou fechar o vidro? Que desespero era aquele sem pudor e por isso mesmo tão intenso?

Garota, desculpe invadir com minha voz a sua tristeza. Era quase Natal e eu não aguentei ver você naquele deserto, num universo à parte, incompatível com a euforia com que recebemos as viradas, as mudanças, a esperança de olhos mais secos. Faz uma semana, lembra? E agora falta quase nada pra gente abraçar a ilusão de que tudo vai ser novo. Que seja mesmo, especialmente pra você. Feliz 2006.

Dezembro de 2005

Desejo que desejes

Eu desejo que desejes ser feliz de um modo possível e rápido, desejo que desejes uma via expressa rumo a realizações não utópicas, mas viáveis, que desejes coisas simples como um suco gelado depois de correr ou um abraço ao chegar em casa, desejo que desejes com discernimento e com alvos bem mirados.

Mas desejo também que desejes com audácia, que desejes uns sonhos descabidos e que ao sabê-los impossíveis não os leve em grande consideração, mas os mantenha acesos, livres de frustração, que desejes com fantasia e atrevimento, estando alerta para as casualidades e os milagres, para o imponderável da vida, onde os desejos secretos são atendidos.

 Desejo que desejes trabalhar melhor, que desejes amar com menos amarras, que desejes parar de fumar, que desejes viajar para bem longe e desejes voltar para teu canto, desejo que desejes crescer, que desejes o choro e o silêncio, através deles somos puxados para dentro, desejo que desejes ter a coragem de se enxergar mais nitidamente.

Mas desejo também que desejes uma alegria incontida, que desejes mais amigos, e que o desejo pelo encontro seja sincero, que desejes escutar as histórias dos outros, que desejes acreditar nelas e desacreditar também, faz parte este ir e vir de certezas e incertezas, que desejes não ter tantos desejos concretos, que o desejo maior seja a convivência pacífica com outros que desejam outras coisas.

Desejo que desejes alguma mudança, uma mudança que seja necessária e que ela não te pese na alma, mudanças são temidas, mas não há outro combustível para essa travessia. Desejo que desejes um ano inteiro de muitos meses bem fechados, que nada fique por fazer, e desejo, principalmente, que desejes desejar, que te permitas desejar, pois o desejo é vigoroso e gratuito, o desejo é inocente, não reprima teus pedidos ocultos, desejo que desejes vitórias, romances, diagnósticos favoráveis, aplausos, mais dinheiro e sentimentos vários, mas desejo antes de tudo que desejes, simplesmente.

Dezembro de 2001

O que mais você quer?

Era uma festa familiar, dessas que reúnem tios, primos, avós e alguns agregados ocasionais que ninguém conhece direito. Jogada no sofá, uma garota não estava lá muito sociável, a expressão era de enterro. Quieta, olhava para a parede como se ali fosse encontrar a resposta para a pergunta que certamente martelava em sua cabeça: o que estou fazendo aqui? De soslaio, flagrei a mãe dela também observando a cena, inconsolável, ao mesmo tempo que comentava com uma tia: "Olhe para essa menina. Sempre com essa cara. Nunca está feliz. Tem emprego, marido, filho. O que ela pode querer mais?".

Nada é tão comum quanto resumirmos a vida de outra pessoa e achar que ela não pode querer mais. Fulana é linda, jovem e tem um corpaço, o que mais ela quer? Sicrana ganha rios de dinheiro, é valorizada no trabalho e vive viajando, o que é que lhe falta?

Imaginei a garota acusando o golpe e confessando: sim, quero mais. Quero não ter nenhuma condescendência com o tédio, não ser forçada a aceitá-lo na minha rotina como um inquilino inevitável. A cada manhã, exijo ao menos a expectativa de uma surpresa. Expectativa, por si só, já é um entusiasmo.

Quero que o fato de ter uma vida prática e sensata não me roube o direito ao desatino. Que eu nunca aceite a ideia de que a maturidade exige certo conformismo. Que eu não tenha medo nem vergonha de ainda desejar.

Quero uma primeira vez outra vez. Um primeiro beijo em alguém que ainda não conheço, uma primeira caminhada por uma nova cidade, uma estreia em algo que nunca fiz, quero seguir desfazendo as virgindades que ainda carrego, quero ter sensações inéditas até o fim dos meus dias.

Quero ventilação, não morrer um pouquinho a cada dia sufocada em obrigações e em exigências de ser a melhor mãe do mundo, a melhor esposa do mundo, a melhor qualquer coisa. Gostaria de me reconciliar com meus defeitos e fraquezas, arejar minha biografia, deixar que vazem alguns pensamentos meus que não são muito abençoáveis.

Queria não me sentir tão responsável sobre o que acontece ao meu redor. Compreender e aceitar que não tenho controle nenhum sobre as emoções dos outros, sobre suas escolhas, sobre as coisas que dão errado e também sobre as que dão certo. Me permitir ser um pouco insignificante.

E, na minha insignificância, poder um dia acordar mais tarde sem dar explicação, conversar com estranhos, me divertir fazendo coisas que nunca imaginei, deixar de ser tão misteriosa para mim mesma, me conectar com as minhas outras possibilidades de existir. O que eu quero mais? Me escutar e obedecer ao meu lado mais transgressor, menos comportadinho, menos refém de reuniões familiares, marido, filhos, bolos de aniversário e despertadores na segunda-feira de manhã. E também quero mais tempo livre. E mais abraços.

Ninguém está satisfeito. Ainda bem.

Maio de 2006

O violinista no metrô

Aconteceu em janeiro. O jornal *Washington Post* convidou um dos maiores violinistas do mundo, Joshua Bell, para tocar numa estação de metrô da capital americana a fim de testar a reação dos transeuntes. Desafio aceito, lá foi Bell, de jeans e camiseta, às 8 da manhã, o horário mais movimentado da estação, para tocar melodias de Bach e Schubert em seu Stradivarius de 1713 (avaliado em mais de 3 milhões de dólares).

Passaram por ele 1.097 pessoas. Sete pararam alguns minutos para ouvi-lo. Vinte e sete largaram algumas moedas. E uma única mulher o reconheceu, porque havia estado em um de seus concertos, cujo valor médio do ingresso é 100 dólares. Todos os outros usuários do metrô estavam com pressa demais para perceber que ali, a dois metros de distância, tocava um instrumentista clássico respeitado internacionalmente.

Não me surpreende. Vasos da dinastia Ching, de valor incalculável, seriam considerados quinquilharias se misturados a quaisquer outros numa feira de artesanato ao ar livre. Uma joia Tiffany correria risco de ser ignorada se fosse exposta numa lojinha de bijuterias, uma gravura de Roy Lichtenstein seria considerada amadora se exposta numa mostra universitária de cartoons, e ninguém pagaria mais de 50 reais por uma escultura do mestre Aleijadinho que estivesse misturada a anjos de gesso vendidos em beira de estrada. Desinformados, raramente conseguimos destacar o raro do medíocre.

Só é possível valorizar aquilo que foi estudado e percebido em sua grandeza. Se eu não me informo sobre o valor histórico de uma moeda que circulava na época dos otomanos, ela passa a ser apenas uma pequena esfera enferrujada que eu não juntaria do chão. Se eu não conheço o significado que teve uma muralha para a defesa dos grandes impérios, ela vira apenas um muro passível de pichação. Se não reconheço certos traços artísticos, um vitral de Chagall passará tão despercebido quanto o vitral de um banheiro de restaurante. Podemos viver muito bem sem cultura, mas a vida perde em encantamento.

Esta história do violinista demonstra que não estamos preparados para a beleza pura: é preciso um mínimo de conhecimento para valorizá-la. E demonstra também que temos sido treinados para gostar do que todo mundo conhece. Se uma atriz é muito comentada, se uma peça é muito badalada, se uma música é muito tocada no rádio, estabelece-se que elas são um sucesso e ninguém questiona. São consumidas mais pela insistência do que pela competência, enquanto competentes sem holofotes passam despercebidos.

Gostaria muito de ter circulado pela estação de metrô em que tocava Joshua Bell. Não por admirá-lo: para ser franca, nunca ouvi falar desse cara. O que eu queria era testar minha capacidade de ficar extasiada sem estímulo prévio. Descobrir se ainda consigo destacar o raro sem que ninguém o anuncie. Tenho a impressão de que eu pararia para escutá-lo, mas talvez eu esteja sendo otimista. Vai ver eu também passaria apressada, sem me dar conta do tamanho do meu atraso.

ABRIL DE 2007

A separação como um ato de amor

É sabida a dor que advém de qualquer separação, ainda mais da separação de duas pessoas que se amaram muito e que acreditaram um dia na eternidade desse sentimento. A dor de cotovelo corrói milhares de corações de segunda a domingo – principalmente aos domingos, quando quase nada nos distrai de nós mesmos – e a maioria das lágrimas que escorrem é de saudade e de vontade de rebobinar os dias, viver de novo as alegrias perdidas.

Acostumada com essa visão dramática da ruptura, foi com surpresa e encantamento que li uma descrição de separação que veio ao encontro do que penso sobre o assunto, e que é uma avaliação mais confortante, ao menos para aqueles que não se contentam em reprisar comportamentos-padrão. Está no livro *Nas tuas mãos*, da portuguesa Inês Pedrosa:

"Provavelmente só se separam os que levam a infecção do outro até aos limites da autenticidade, os que têm coragem de se olhar nos olhos e descobrir que o amor de ontem merece mais do que o conforto dos hábitos e o conformismo da complementaridade".

Ela continua:

"A separação pode ser o ato de absoluta e radical união, a ligação para a eternidade de dois seres que um dia se amaram demasiado para poderem amar-se de outra maneira, pequena e mansa, quase vegetal".

Calou fundo em mim essa declaração, porque sempre considerei que a separação de duas pessoas precisa acontecer antes do esfacelamento do amor, antes de iniciarem as brigas, antes de a falta de respeito assumir o comando. É tão difícil a decisão de separar que vamos protelando, protelando, e nessa passagem de tempo se perdem as recordações mais belas e intensas. A mágoa vai ganhando espaço, uma mágoa que nem é pelo outro, mas por si mesmo, a mágoa de reconhecer-se covarde. E então as discussões se intensificam e, quando a separação vem, não há mais onde se segurar, o casal não tem mais vontade de se ver, de conversar, querem distância absoluta, e aí se configura o desastre: a sensação de que nada valeu. Esquece-se o que houve de bom entre os dois.

Se o que foi bom ainda está fresquinho na memória afetiva, é mais fácil transformar o casamento numa outra relação de amor, numa relação de afastamento parcial, não total. Se o casal percebe que estão caminhando para o fim, mas ainda não chegaram ao momento crítico – o de tornarem-se insuportavelmente amargos –, talvez seja uma boa alternativa terminar antes de um confronto agressivo. Ganha-se tempo para reestruturar a vida e ainda preserva-se a amizade e o carinho daquele que foi tão importante. Foi, não. Ainda é.

"Só nós dois sabemos que não se trata de sucesso ou fracasso. Só nós dois sabemos que o que se sente não se trata – e é em nome desse intratável que um dia nos fez estremecer que agora nos separamos. Para lá da dilaceração dos dias, dos livros, discos e filmes que nos coloriram a vida, encontramo-nos agora juntos na violência do sofrimento, na ausência um do outro como já não nos lembrávamos de ter estado em presença. É uma forma de amor inviável, que, por isso mesmo, não tem fim."

É um livro lindo que fala sobre o amor eterno em suas mais variadas formas. Um alento para aqueles – poucos – que respeitam muito mais os sentimentos do que as convenções.

Março de 2006

O cartão

Eu tinha 17 anos e era louca por um cara com quem trocava olhares, não mais que isso. Ele era o legítimo "muita areia para o meu caminhão" e jamais acreditei que pudesse vir a se interessar por mim, o que me deixava ainda mais apaixonada, claro. Mulher adora um amor impossível.

Então chegou o dia do meu aniversário. No final da manhã eu estava em casa, contando os minutos para uma festa que daria à noite, quando a empregada apareceu com um cartão nas mãos, dizendo que o zelador o tinha encontrado embaixo da porta do prédio. Abri e fiquei azul, verde, laranja: era dele. Corri para o telefone e liguei para minha melhor amiga. "Que trote bobo, você quase me mata de susto, pensa que não sei que foi você que escreveu o cartão?". Ela jurou por todos os santos que não. Liguei para outra amiga. "A letra é igual a sua, eu sei que foi você!". Não tinha sido. Liguei para outra: "Você acha que eu vou acreditar que um cara lindo que nunca me disse bom dia veio até aqui largar um cartão amoroso desses?". Ela me recomendou terapia. Bom, diante de tantas negativas, só me restou pensar: "Outra hora eu descubro quem é que está zombando de mim". E esqueci o assunto.

Semanas depois estava caminhando na rua quando encontrei o dito-cujo. Ele resmungou um oi, eu devolvi outro oi, e então ele perguntou se eu havia recebido o cartão de aniversário. Minha pressão caiu, minhas pernas fraquejaram, eu só pensava: mas que idiota eu fui. O que iria responder? "Recebi, mas jamais passaria pela minha cabeça que um homem espetacular como você, que pode ter a mulher que escolher, fosse entrar numa papelaria, comprar um cartão, escrever um texto caprichado, depois descobrir meu endereço, e então pegar o carro, ir até a minha rua, colocar o envelope embaixo da porta feito um ladrão, e aí voltar para casa e aguardar meu telefonema. Olhe bem pra mim, eu não mereço tanto empenho."

Respondi: "Que cartão?".

Ele soltou um "Deixa pra lá" e foi embora se sentindo o mais esnobado dos homens. E assim terminou uma linda história de amor que nunca começou. Anos depois nos encontramos casualmente e tivemos um rapidíssimo *affair*, mais aí já não éramos os mesmos, não havia clima, ficamos juntos apenas para ver como teria sido se. Vimos. E não escutamos sinos, não fomos flechados pelo Cupido. Cada um voltou para sua vida e nunca mais tivemos notícia um do outro.

Contei esta história para um amigo outro dia e ele comentou que conhecia outras mulheres assim. Epa, assim como? Ora, assim medrosa, desconfiada, temendo pagar micos diante da vulnerabilidade que toda paixão provoca. Ele estava certo. Era assim mesmo que eu me sentia aos 17 anos: medrosa e incapaz de levar um grande amor adiante. Quando recebi o tal cartão, deveria ter ligado imediatamente para o meu príncipe encantado para agradecer e convidá-lo para a festa.

E se ele tivesse dito: "Que cartão?".

Eu responderia "Deixa pra lá, mas venha à festa assim mesmo". E assumiria as consequências, não importa quais fossem. O nomezinho disso: vida. É sempre uma incógnita, portanto não vale a pena tentar fugir das decepções ou dos êxtases, eles nos assaltarão onde estivermos. Se você for uma garota boba como eu fui, acorde. Ninguém é muita areia pra ninguém. Pessoas aparentemente especiais se apaixonam por outras aparentemente banais e isso não é um trote, não é uma pegadinha, não é nada além do que é: um inesperado presente da vida, que todos nós merecemos.

Fevereiro de 2006

Oh, Lord!

Liguei o rádio do carro e santa nostalgia: estava tocando uma música da Janis Joplin que marcou minha infância, mesmo que naquela época eu não entendesse quase nada de inglês – não que entenda muito hoje. Você deve lembrar, é um clássico, começa dizendo: *"Oh, Lord, won't you buy me a Mercedes Benz? My friends all drive Porsches, I must make amends"*, que significa mais ou menos: "Oh, Senhor, não quer me comprar um Mercedes-Benz? Todos os meus amigos dirigem Porsches, eu preciso compensar". E Janis seguia nessa irônica e provocativa prece pedindo nem paz, nem amor, e sim uma tevê em cores e noitadas. Se Ele a amasse mesmo, não a deixaria na mão.

Oh, Lord, quantas pessoas, hoje, não estão por aí também rezando por uma Louis Vuitton original e por uma poderosa TV de plasma? Abrem as revistas e estão todos tão melhores de vida do que elas, como ser feliz sem igualdade de condições? Dê a essas pessoas o que elas pedem, Senhor, é só fazê-las ganhar um sorteio, uma rifa. Imagine a dificuldade que o Senhor teria para atendê-las caso elas pedissem um mundo mais acolhedor, menos agressivo, mais sensato, o trabalhão que iria dar.

Oh, Lord, reconheça a inocência de quem lhe pede uma casa na praia, um chalezinho na montanha, ou mesmo um belo apartamento em bairro nobre, o Senhor sabe que essas pessoas não foram treinadas para se satisfazerem com o que têm, mesmo que tenham tanta coisa, como família, paz de espírito, um emprego decente, mas isso não conta, isso não enche a barriga de ninguém.

Oh, Lord, ninguém anda rezando por fé, pela saúde do vizinho, para resistir aos apelos consumistas, nem mesmo para simplesmente dizer "Obrigada, Senhor". Não se faz mais esse tipo de concessão: afinal, obrigada por quê? Eles querem ser convidados para as festas. Eles querem melhorar. Compense-os com um relógio de grife, uma corrente de ouro, um celular bem fininho e uma câmera digital, eles não podem comprar, mas o Senhor pode, o Senhor tem crédito em qualquer loja, o Senhor só precisa fazer abracadabra e tudo se resolve.

Janis Joplin gravou essa música em 1970. Nos últimos 37 anos, o número de súplicas estapafúrdias segue aumentando e quase ninguém mais lembra de agradecer o mistério da existência, o poder transformador dos afetos, a liberdade de escolha, o contato com o que ainda nos resta de natureza, o encanto dos encontros, a poesia que há numa vida serena, a alma nossa de cada dia, essas coisas que parecem tão obsoletas, e pelo visto são. Oh, Lord, desça daí, faça alguma coisa, que aqui embaixo trocaram o abstrato pelo concreto e não demora estarão pedindo a parte deles em dinheiro.

ABRIL DE 2007

O cara do outro lado da rua

Ele sabia onde ela morava, a via frequentemente saindo com o carro pela garagem, já havia até decorado a placa da atriz. O que ele não sabia é que ela, da janela do seu apartamento, reparava nele todo dia também, quando ele chegava ao escritório em frente. Um moreno alto, não muito diferente de qualquer outro moreno alto.

Ele acompanhava a novela que ela fazia, gostava do jeito que ela atuava, havia certa dignidade na escolha dos papéis, e imaginava que ela tinha diversos namorados. Ela, por sua vez, nada sabia dele, a não ser que era um homem como outro qualquer.

Um dia se cruzaram, ela saindo do prédio, ele chegando ao escritório, e, por razão nenhuma, se cumprimentaram. Duas vogais: oi.

Passaram semanas e um dia acenaram, de longe. E longe permaneceram por outros tantos meses. A atriz famosa do prédio em frente. O cara do escritório do outro lado da rua. Era isso que eram um para o outro.

Não se sabe quem tomou a iniciativa, se foi ela que sorriu de um jeito mais insinuante ou se ele que acordou de manhã com o ímpeto de sair da rotina, apenas se sabe que um dia pararam na calçada para ir além das duas vogais, e ele teve a audácia de convidá-la para um café, e ela teve o desplante de aceitar.

Durante o café ele soube que ela havia se separado recentemente e ela soube que ele estava tentando arranjar coragem para encerrar uma relação desgastada. Ela tomou uma água mineral sem gás, ele dois expressos, e ficaram de se falar.

No dia seguinte ele telefonou e comentou que ela havia dado a ele a coragem que faltava. O recado foi entendido, e ela aceitou prontamente um convite para jantar, e desde então não pararam mais de se tocar e de se conhecer. Ela contou, entre lençóis, que trabalhar na tevê é uma profissão como as outras, que o estrelato é uma percepção do público e que no fundo ela era uma mulher quase banal. Ele contou, durante uma viagem que fizeram juntos, da relação que tinha com os avós, da importância dos velhos na sua infância e em como seu passado de garoto do interior havia definido seu caráter. Ela contou, enquanto cozinhavam um macarrão, que havia sido uma menina bem gordinha e que implicavam muito com ela na escola. Ele contou, enquanto procurava uma música no rádio, que havia morado em Lisboa e que seu sonho era ser pai. Ela contou, enquanto penteava o cabelo dele, que às vezes chorava mais de felicidade do que de tristeza e que ainda não sabia o que dar a ele de aniversário. Ele contou, num dia em que assistiam a um filme na tevê, que ela ia rir, mas era verdade: quando garoto, ele chegou a pensar em ser padre. Ela contou, enquanto retocava o esmalte, que já havia se atrevido a escrever poemas, mas eram horríveis. Ele pediu para ler. Um dia ela mostrou. Eram horríveis mesmo. Ele mostrou os versos dele. Não é que o safado escrevia bem?

Não chegaram a viver juntos como vivem os casais, mas também nunca mais ficaram separados por uma janela, por uma rua, por um silêncio interrogativo, por uma possibilidade remota. Havia acontecido. Ela para ele, nunca mais uma celebridade. Ele para ela, nunca mais um homem comum.

AGOSTO DE 2006

Dentro de um abraço

Onde é que você gostaria de estar agora, neste exato momento? Fico pensando nos lugares paradisíacos onde já estive, e que não me custaria nada reprisar: num determinado restaurante de uma ilha grega, na beira de diversas praias do Brasil e do mundo, na casa de bons amigos, em algum vilarejo europeu, numa estrada bela e vazia, no meio de um show espetacular, numa sala de cinema vendo a estreia de um filme muito aguardado e, principalmente, no meu quarto e na minha cama, que nenhum hotel cinco estrelas consegue superar – a intimidade da gente é irreproduzível.

Posso também listar os lugares onde não gostaria de estar: num leito de hospital, numa fila de banco, numa reunião de condomínio, presa num elevador, em meio a um trânsito congestionado, numa cadeira de dentista.

E então? Somando os prós e os contras, as boas e más opções, onde, afinal, é o melhor lugar do mundo?

Dentro de um abraço.

Que lugar melhor para uma criança, para um idoso, para uma mulher apaixonada, para um adolescente com medo, para um doente, para alguém solitário? Dentro de um abraço é sempre quente, é sempre seguro. Dentro de um abraço não se ouve o tic-tac dos relógios e, se faltar luz, tanto melhor. Tudo o que você pensa e sofre, dentro de um abraço se dissolve.

Que lugar melhor para um recém-nascido, para um recém-chegado, para um recém-demitido, para um recém-contratado? Dentro de um abraço nenhuma situação é incerta, o futuro não amedronta, estacionamos confortavelmente em meio ao paraíso.

O rosto contra o peito de quem te abraça, as batidas do coração dele e as suas, o silêncio que sempre se faz durante esse envolvimento físico: nada há para se reivindicar ou agradecer, dentro de um abraço voz nenhuma se faz necessária, está tudo dito.

Que lugar no mundo é melhor para se estar? Na frente de uma lareira com um livro estupendo, em meio a um estádio lotado vendo seu time golear, num almoço em família onde todos estão se divertindo, num final de tarde de frente para o mar, deitado num parque olhando para o céu, na cama com a pessoa que você mais ama?

Difícil bater essa última alternativa, mas onde começa o amor, senão dentro do primeiro abraço? Alguns o consideram como algo sufocante, querem logo se desvencilhar dele. Até entendo que há momentos em que é preciso estar fora de alcance, livre de qualquer tentáculo. Esse desejo de se manter solto é legítimo, mas hoje me permita não endossar manifestações de alforria. Entrando na semana dos namorados, recomendo fazer reserva num local aconchegante e naturalmente aquecido: dentro de um abraço que te baste.

Junho de 2008

Casa comigo

Os dois namorados estavam dentro do carro, à noite, estacionados em frente ao prédio da excelentíssima, discutindo a relação. Discutindo mesmo, aos berros, brigando. Em meio a algum "pra mim chega!", surgiram dois meliantes armados e interromperam aquele bate-boca. Transferiram os namorados para o banco de trás e saíram em disparada com eles: sequestro relâmpago. Rodaram a cidade durante cinquenta minutos, fizeram saques em caixas eletrônicos, até que os levaram para um lugar ermo, no meio do mato. Duas coronhadas, uma em cada um, rostos sangrando, mas era pouco: despiram os dois, deixando-os apenas com a roupa de baixo, e os amarraram em troncos de árvores. Não houve agressão sexual, mas não se pode dizer que foi um passeio no bosque. Em plena madrugada, abandonaram o casal imobilizado e seguiram com o carro do rapaz rumo à impunidade garantida.

Restou o silêncio. Assustados, os dois tentaram, tentaram de novo, e conseguiram, finalmente, se desamarrar. Livres, sozinhos, sem saber onde estavam, olharam um para o outro e tiveram um ataque de riso. Ele a abraçou fortemente e só conseguiu dizer duas palavras: "Casa comigo".

Aconteceu mesmo. Quem me contou, olho no olho, foi a protagonista feminina da história. Eu não conseguiria imaginar pedido de casamento mais romântico. Sem vinho, sem luz de velas e sem anel de brilhantes – um pedido movido simplesmente pela emergência da vida, pela busca de uma felicidade genuína, pela supressão da razão em detrimento da emoção verdadeira.

Estavam por morrer, os dois. Foram unidos pelo mesmo pensamento desde que foram surpreendidos por dois estranhos armados: acabou. Não tem mais por que discutir a relação. Não tem mais relação. Não tem mais manhã seguinte. Não tem mais futuro. Acabou. Que perda de tempo. Para que brigar? Para que se estressar com ciúmes, com queixas, com mágoas? Acabou.

E então descobrem que não acabou. Desamarram-se, estão nus por fora e por dentro, despidos de qualquer racionalidade, apenas aliviados com o desfecho da aventura e absolutamente tomados pela potência do que é essencial na vida. O amor.

Casa comigo.

Estão casados há dez anos. Não sei se plenamente felizes. É provável que os motivos dos ciúmes e das queixas e de tudo aquilo que explodiu naquela discussão dentro do carro antes do sequestro tenha se repetido outras vezes. A realidade impõe os seus caprichos. Obriga a gente a pensar e manter a sanidade. Maldita sanidade.

Mas houve um momento em que eles não pensaram. Só sentiram. Sentiram tudo. Sentiram sem amarras. Sentiram soltos. Sentiram livres. Pura emoção. E a emoção se impôs: casa comigo. Tiveram os piores padrinhos do mundo: a violência e o medo. Mas que beijo deve ter sido dado ali no meio do nada.

Abril de 2014

Qualquer um

A reclamação é antiga, mas continua vigente: mulheres se queixam de que não há homem "no mercado". Acabo de receber um e-mail de uma delas, contando que faz parte de um grupo de mulheres na faixa dos 35 anos que são independentes, moram sozinhas, trabalham, falam idiomas, são vaidosas, têm cultura, frequentam academia e que, mesmo com tantos atributos, seguem solteiras, e temem não haver tempo para formar a própria família. No finalzinho da mensagem, descubro uma pista para a solução do problema: "Apesar de o relógio biológico estar nos pressionando, não queremos procriar com qualquer um. Queremos um cara bacana para ir ao cinema, almoçar no domingo, viajar nos finais de semana".

Claro. Quem não quer?

Não há problema nenhum em ser exigente, em querer uma pessoa que seja especial. O que me deixa intrigada é que há mais probabilidade de você conhecer "qualquer um" do que um deus grego com um crachá escrito "Príncipe Encantado". Então me pergunto: as mulheres estarão dando chance para que esse "qualquer um" demonstre que está longe de ser um qualquer?

Sou capaz de apostar que a maioria das mulheres, no primeiro encontro, já elimina o candidato, e quase sempre por razões frívolas. Ou porque o sapato dele é medonho, ou porque ele não sabe quem é Sofia Coppola, ou porque ele gosta de pizza de estrogonofe com banana, ou porque ele só gosta de comédia, ou porque ele mistura steinhäeger com cerveja, ou porque o carro dele é um carro do ano. Do ano de 1991.

Imagina se você, proveniente de uma família estruturada, criada dentro de padrões de bom gosto, com qualidades encantadoras, vai se envolver com esse... com esse... com esse sei-lá-quem.

Pois o "sei-lá-quem" pode ser, sim, aquele cara bacana que levará você para almoçar no domingo, mas você tem que dar uma mãozinha, minha linda. Recolha seus prejulgamentos, dê umas férias para seus preconceitos, deixe seu orgulho de lado e saia com ele três, quatro vezes, até ter certeza absoluta de que o sapato medonho vem acompanhado de um caráter medonho, de um mau humor medonho, de uma burrice medonha. Porque se o problema for só o sapato e a pizza de estrogonofe, isso dá-se um jeito depois, ele não há de ser tão inflexível.

Aliás, e você? Garanto que também não sai pela rua com uma camiseta anunciando "Mulher Maravilha". Ele também vai ter que descobrir o que há por trás da sua ficha estupenda, e vá que ele implique com as três dezenas de comprimidos que você ingere por dia, com sua recusa em molhar o cabelo no mar, com sua fixação por telefone ou com os seus sutiãs do ano. Do ano de 1991 também.

Essa coisa chamada "história de amor" requer algum tempo para ser construída, e as que dão certo são aquelas vividas com paciência, com o espírito aberto e geralmente com qualquer um que consiga romper nossas defesas e nos fazer feliz.

OUTUBRO DE 2006

Ela

Se você não tem problemas com a sua, levante as mãos para o céu e pare agora mesmo de reclamar da vida. O que são algumas dívidas para pagar, um celular sempre sem bateria, um final de semana chuvoso? Chatices, mas dá-se um jeito. Nela não. Nela não se dá um jeito. Para eliminá-la, prometemos cortar bebidas alcoólicas, prometemos fazer mil abdominais por dia, mas ela não acusa o golpe, segue com sua saliência irritante. A gente caminha, corre, sobe escada, desce escada, vibra quando nosso intestino está bem regulado, cumprindo suas funções à perfeição, mas ela não se faz de rogada, mantém-se firme onde está. "Mantém-se firme" é força de expressão. Ela é tudo, menos firme. Você sabe de quem estou falando.

Ela é uma praga masculina e feminina. Os homens também sofrem, mas aprendem a conviver com ela: entregam os pontos e vão em frente, encarando a situação como uma contingência do destino. As mulheres, não. Mulheres são guerreiras, lutam com todas as armas que têm. Algumas ficam sem respirar para encolhê-la, chegam a ficar azuis. Outras vão para a mesa de cirurgia e ordenam que o médico sugue a desgraçada com umbigo e tudo. Mas passa-se um tempo e ela volta, a desaforada sempre volta.

Quem não tem a sua? Eu conto quem: umas poucas sortudas com menos de 15 anos. Umas poucas malucas que acordam, almoçam e jantam na academia. Algumas mais malucas ainda que não almoçam nem jantam. As que nasceram com crédito pré-aprovado com Deus. E aquelas que nunca engravidaram, lógico.

As que ignoram totalmente sobre o que estou falando são poucas, não lotariam uma sala de cinema. Já as que sabem muito bem quem é a protagonista desta crônica (pois alojam a infeliz no próprio corpo), povoam o resto da cidade, estão por toda parte. Batas disfarçam, vestidinhos disfarçam, biquínis colocam tudo a perder.

Nem todas a possuem enorme. Credo, não. Às vezes é apenas uma protuberância, uma coisinha de nada, na horizontal nem se repara. Aliás, mulheres acordam mais bem-humoradas do que os homens porque de manhã cedo somos todas magras. Todas tábuas. Todas retas. Passam-se as primeiras horas, no entanto, e a lei da gravidade surge para dar bom dia. Lá se vai nosso humor.

Falam muito de celulite. Falam de seios, de traseiros, de rugas, de pés grandes, de falta de cintura, de caspa, de tornozelos grossos, de orelhas de abano, de narizes desproporcionais, de ombros caídos, de muita coisa caída. Temos uma possibilidade infinita de defeitos. Mas ela é que nos tira do prumo. Ela é que compromete nossa silhueta. Ela é que arrasa com a nossa elegância. Ela. Nem ouso pronunciar seu nome. Você sabe bem quem. Se não sabe, sorte sua: é porque não tem.

JANEIRO DE 2007

Carta ao João Pedro

João, você nasceu mais pequeninho do que o esperado, mas em breve vai ser do tamanho do teu pai, meu irmão, e você já reparou como ele é grande? Grande em todos os sentidos, e isso é a maior sorte para quem acaba de chegar ao mundo. Em tempo: hoje é o dia dele. Com duas semanas de vida, você ainda não pode abraçá-lo, mas vai ter muito tempo – e motivo – pra isso.

Bem-vindo, aqui é o teu lugar. É bastante espaçoso, ainda que as pessoas costumem sair pouco do próprio bairro. Tem muita beleza e muita miséria, e já é bom ir se acostumando com as contradições, porque é o que mais há. Tem gente que nos diz não, mas faz isso para nosso bem, e tem gente que só nos diz sim, mas faz isso mais por preguiça do que por amor. Em alguns dias ensolarados, você se sentirá inesperadamente triste, e alguns temporais vão trazer a você muita energia. Certos indivíduos têm uma aparência decente e altiva, mas são ocos por dentro – e podem até ser maus – enquanto outros são quietos, discretos, parecem não valer grande coisa e, no entanto, são os verdadeiros super-heróis, as tais criaturas fascinantes que tanto procuramos pela vida. Como descobrir as diferenças? Não se deixando levar por preconceitos e ideias prontas. Aproveite, João, que nada está pronto, você é que vai escrever sua história, e desse ponto onde você está, a estrada é infinita.

Tomara que você goste de futebol, porque a esta altura você já sabe em que família foi se meter. Uma ala é gremista fanática e a outra é colorada doente, não queria estar no seu lugar. Mas sempre é possível escapar para o tênis, que também tem tradição na sua árvore genealógica.

Mulheres? Você em breve vai conhecê-las nos parques, na escola, e se prepare, elas não estão para brincadeira. São decididas e autoritárias, mas não se assuste, também sabem ser engraçadas e sedutoras, você vai ter um trabalho danado, mas não vai se queixar nem um minuto.

Parques, escolas, alimentação, educação... Infelizmente não é assim para todos, não demora você vai conhecer a palavra que mais envergonha este país: injustiça. Uns podem, outros não podem, e isso gera uma bagunça que é bem mais séria do que um quarto desarrumado. Um país desarrumado faz muita gente sofrer, ninguém encontra nada: onde estão os escrúpulos, a dignidade, estará tudo embaixo da cama? Somem, desaparecem, e então começa um jogo de empurra, "foi ele", "não fui eu", "não sei de nada", e a bagunça só aumenta. Digo que desde já você está metido nesta história e pode ajudar, sim. Como? Guardando bem os seus valores.

Está achando que vai ser chato? Nada, João Pedro. Se você tiver bom humor e uma cabeça aberta, vai curtir música, cinema, livros, viagens, praia, aventuras, internet, sem falar em outros interesses que nem posso prever aqui, já que as coisas evoluem da noite para o dia. Só o que posso adiantar é que vai ser um pouco fácil e um pouco difícil, é assim pra todo mundo. Enquanto você se equilibra de um lado pro outro, nunca se esqueça do mais importante: divirta-se.

Julho de 2005

Carta ao Rafael

Rafael, teu irmão nasceu cerca de quatro anos atrás, no finalzinho do mês de julho. Na época eu aproveitei que logo em seguida seria Dia dos Pais e escrevi uma carta pública ao João Pedro homenageando não só o teu, mas o meu irmão também – teu pai. Agora você, meu segundo sobrinho, nasce colado ao Dia das Mães, e imagina se vou te privar de recepção semelhante.

Bem-vindo, Rafa. O mundo é legal, desde que a gente saiba lidar com suas ambiguidades. Tem muita beleza e miséria, dias de sol e temporal, pessoas que dizem sim e que dizem não, e muitos gremistas e colorados infiltrados dentro da tua família. Mesmo assim, não pense que você vai ter opção. Não se deixe enganar pelas roupinhas azuis, essa não será sua cor preferida.

Desde que você saiu da barriga, está escutando votos de saúde e felicidade (mesmo que, por enquanto, tudo não passe de um barulho incompreensível e que você já esteja com saudade do silêncio uterino). Pois saiba que são votos clichês, mas os clichês são sábios: saúde e felicidade é tudo o que você precisa nesta vida. Só que tem que dar uma mãozinha. Então, pratique esportes, se alimente bem e não fume: a saúde já estará 50% garantida, o resto é sorte. Quanto à felicidade, o jeito é tentar fazer boas escolhas.

Como fazê-las? Ninguém sabe ao certo, mas ser íntegro e não se deixar levar por vaidades e preconceitos promove certa paz de espírito. Ser feliz não é muito difícil, basta não ficar obcecado com esse assunto e tratar de viver. Quem pensa demais, não vive.

Não brigue muito com seu irmão, ele será seu melhor amigo, mesmo que você não acredite nisso quando ele não quiser emprestar alguns brinquedos – o carro dele, por exemplo.

Você vai ser louco, apaixonado, babão por sua mãe. É natural. Mas não deixe que suas namoradas percebam.

Cada vez mais o dinheiro controla os desejos. Ele é importante, porque sem independência não somos donos de nós mesmos, mas para ganhá-lo você não precisa perder nada: nem escrúpulos, nem caráter, ou você estará se deixando comprar. Não se deixe controlar por ele. Pelo dinheiro, digo, porque pelos desejos você não só pode como deve se render. Mas não seja um *heartbreaker* profissional, a mulher da sua vida pode lhe escapar das mãos.

Ia esquecendo: estude inglês.

Uma vida sem arte é uma vida árida, sem transcendência, um convite à mediocridade. Então desfrute de muita música e cinema, e quando suas garotas tentarem arrastá-lo para um teatro, vá sem reclamar, há 30% de chance de você gostar. Importante: se alguém disser que ler é chato, mande se entender comigo.

Tédio é para os sem inspiração. O mundo oferece estradas, passeatas, eleições, aeroportos, ondas, montanhas, campeonatos, vestibulares, desafios, churrascos, festivais, feriadões, roubadas, gargalhadas, madrugadas e declarações de amor. É assim mesmo, tudo misturado e barulhento. A saudade do silêncio uterino vai surpreendê-lo muitas outras vezes. Busque esse silêncio dentro de você.

Então é isso, Rafa, seja corajoso e grato: nascer é um privilégio concedido a poucos, ainda que sejamos bilhões. Não desperdice a chance e esteja consciente de duas coisas: que sem alegria nada vale a pena, e que Rafa é um apelido do qual você não escapa.

Maio de 2009

Quando Deus aparece

Tenho amigas de fé. Muitas. Uma delas, que é como uma irmã, me escreveu um e-mail poético, dia desses. Ela comentava, em detalhes, sobre o recital que assistiu do pianista Nelson Freire, recentemente. Tomada pela comoção durante o espetáculo, ela finalizou o e-mail assim: "Nessas horas Deus aparece".

Fiquei com essa frase retumbando na minha cabeça. De fato, Deus não está em promoção, se exibindo por aí. Ele escolhe, dentro do mais rigoroso critério, os momentos de aparecer pra gente. Não sendo visível aos olhos, Ele dá preferência à sensibilidade como via de acesso a nós. Eu não sou uma católica praticante e ritualística – não vou à missa. Mas valorizo essas aparições como se fosse a chegada de uma visita ilustre, que me dá sossego à alma.

Quando Deus aparece pra você?

Pra mim, Ele aparece sempre através da música, e nem precisa ser um Nelson Freire. Pode ser uma música popular, pode ser algo que toque no rádio, mas que me chega no momento exato em que estou reconciliada comigo mesma. De forma inesperada, a música me transcende.

Deus me aparece nos livros, em parágrafos em que não acredito que possam ter sido escritos por um ser mundano: foram escritos por um ser mais que humano.

Deus me aparece – muito! – quando estou em frente ao mar. Tivemos um papo longo, cerca de um mês atrás, quando havia somente as ondas entre mim e Ele. A gente se entende em meio ao azul, que seria a cor de Deus, se ele tivesse uma.

Deus me aparece – e não considere isso uma heresia – na hora do sexo, desde que feito com quem se ama. É completamente diferente do sexo casual, do sexo como válvula de escape. Diferente, preste atenção. Não quer dizer que qualquer sexo não seja bom.

Nesse exato instante em que escrevo, estou escutando *My sweet Lord* cantado não pelo George Harrison (que Deus o tenha), mas por Billy Preston (que Deus o tenha, também) e posso assegurar: a letra é um animado bate-papo com Ele, ritmado pelo rock´n´roll. Aleluia.

Deus aparece quando choro. Quando a fragilidade é tanta que parece que não vou conseguir me reerguer. Quando uma amiga me liga de um país distante e demonstra estar mais perto do que o vizinho do andar de cima. Deus aparece no sorriso do meu sobrinho e no abraço espontâneo das minhas filhas. E nas preocupações da minha mãe, que mãe é sempre um atestado da presença desse cara.

E quando eu o chamo de cara e Ele não se aborrece, aí tenho certeza de que Ele está mesmo comigo.

AGOSTO DE 2008

A capacidade de se encantar

Muita gente diz que adora viajar, mas depois que volta, só recorda das coisas que deram errado. Sendo viajar um convite ao imprevisto, lógico que algumas coisas darão errado, faz parte do pacote. Desde coisas ingratas, como a perda de uma conexão ou ter a mala extraviada, até chatices menos relevantes, como ficar na última fila da plateia do teatro ou um garçom mal-humorado não entender o seu pedido. Ainda assim, abra bem os olhos e veja onde você está: em Fernando de Noronha, em Paris, em Honolulu, em Santorini. Poderia ser pior, não poderia?

Outro dia uma amiga que já deu a volta ao mundo uma dezena de vezes comentou que lamentava ver alguns viajantes tão *blasés* diante de situações que costumam maravilhar a todos. São os que fazem um safári na Namíbia e estão mais preocupados com os mosquitos do que em admirar a paisagem. Ou que estão à beira do mar, numa praia da Tailândia, e não se conformam de ter esquecido no hotel a nécessaire com os medicamentos. Ou que não saboreiam um prato espetacular porque estão ocupados calculando quanto terão que deixar de gorjeta.

Não saboreiam nada, aliás. Estão diante das geleiras da Patagônia e não refletem sobre a imponência da natureza, estão sentados num café em Milão e não percebem a elegância dos transeuntes, embarcam numa gôndola em Veneza e passam o trajeto brigando contra a máquina fotográfica que emperrou, visitam Ouro Preto e não se emocionam com o tesouro da arquitetura barroca – e se queixam das ladeiras, claro.

Vão à Provence e torcem o nariz para o cheiro dos queijos, olham para o céu estrelado do deserto do Atacama sofrendo com o excesso de silêncio, vão para Trancoso e reclamam de não ter onde usar salto alto, vão para a Índia sem informação alguma e aí estranham o gosto esquisito daquele hambúrguer: ué, não é carne de vaca, amor? Aliás, viajar sem estar minimamente informado sobre o destino escolhido é bem parecido com não ir.

Estão assistindo a um show de música no Central Park, mas não tiram o olho do celular. Vão ao Rio, mas têm medo de ir à Lapa. Estão em Buenos Aires, mas nem pensar em prestigiar o tango – "programa de velho!". São os que olham tudo de cima, julgando, depreciando, como se o fato de se entregar ao local visitado fosse uma espécie de servilismo – típico daqueles que têm vergonha de serem turistas.

É muito bacana passar um longo tempo numa cidade estrangeira e adquirir hábitos comuns aos nativos para se sentir mais próximo da cultura local, mas quem pode fazer essas imersões com frequência? Na maior parte das vezes, somos turistas mesmo: estamos com um pé lá e outro cá. Então, estando lá, que nos rendamos ao inesperado, ao sublime, ao belo. De nada adianta levar o corpo para passear se a alma não sai de casa.

Abril de 2012

O novo tarado

As amigas alertaram: você não acha perigoso começar um relacionamento com um cara que surgiu do nada pelo Facebook? Ela ficou comovida com a preocupação e considerou: de onde surgem as pessoas que conhecemos num balcão de bar, numa parada de ônibus, na beira da praia? Do nada. É deste lugar incrível – o nada – que desembarcam em nossas vidas os colegas de trabalho, os parceiros de academia, os vizinhos e todas as pessoas que nos circundam há anos. Logo, é um lugar confiável, o nada. Da família, sim, é que podem surgir umas criaturas estranhas.

Marcou um café com ele, disposta a dar uma chance ao sujeito que não havia sido apresentado por nenhum amigo em comum, que não deu referência, carta de apresentação ou atestado de idoneidade. Crianças, não façam o que ela fez.

Porque já no primeiro encontro ele apareceu com uma flor na mão. Uma flor só, pequena, que deve ter catado no trajeto até o café, em algum jardim de edifício. Ela achou meigo, mas ficou ligada.

Começaram a namorar já na noite seguinte, depois do primeiro beijo que veio na sequência do primeiro jantar, se é que se pode chamar de jantar uma pizza marguerita pra dividir – mas que ele fez questão de pagar inteira.

Poucos dias depois, cama. Sem entrar em maiores detalhes: ela nunca se sentiu tão bem tratada e tão maltratada, ambos no melhor dos sentidos – o que a confundiu.

Com a intimidade, vieram mais surpresas: um dia ela estava deitada, sozinha em casa, lendo um livro antes de dormir, quando ele entrou no WhatsApp para dar boa noite e enviou um link de uma música do Joshua Redman, *My one and only love*. Sugeriu que ela escutasse enquanto aguardava o sono.

Ela não pregou o olho, assustada com tanta elegância. E, pra completar, de manhã foi acordada por um poema espetacular da Cecília Meireles, um dos preferidos dele.

Ligou para as amigas e contou tudo. Elas responderam: "Nós avisamos".

Foi quando ela começou a prestar mais atenção nos modos do namorado. Ele tinha o costume de escutá-la. Interessava-se pelo que ela dizia, sem interrompê-la. Pegava a mão dela enquanto caminhavam. Abria a porta traseira do Uber pra ela entrar, dava a volta no carro e entrava pelo outro lado (ela morria de medo que o motorista arrancasse sem esperá-lo). Ele fazia elogios frequentes. E declarações de amor. Não havia mais dúvida.

De tão empoderada, ela havia se emancipado até do seu romantismo, e, ao se deparar com aquele anormal vindo do nada, ela ficou certa de que estava lidando com uma nova espécie de tarado.

Dispensou-o rapidinho e foi atrás de algum homem que a tratasse de igual pra igual.

Maio de 2017

A morte como consolo

Assim como qualquer mortal, eu também esquento a cabeça com questões de difícil praticidade. Teorizar é moleza, mas como agir do mesmo modo que essas supermulheres que a gente vê nas revistas e jornais, sempre bem resolvidas? Você acha que eu sei? Sei nada.

Eu também me desgasto com assuntos mundanos, aqueles que nos atormentam dia e noite: sinto ciúmes, me constranjo ao negar convites, às vezes me acho severa demais com minhas filhas, às vezes severa de menos, não consigo ser tão solícita quanto gostaria, me sinto desatualizada em relação a tanta coisa, não sei direito a direção para a qual conduzir minha vida, enfim, coisinhas que nos roubam algumas horas preciosas de sono.

Como eu não faço terapia e não posso perder nem um minuto precioso de sono, já que normalmente durmo pouco, resolvi procurar um método pessoal para relativizar meus pequenos grilos cotidianos. E encontrei um que pode parecer macabro, mas está funcionando. Quando estou muito preocupada com alguma coisa, penso: eu vou morrer.

Óbvio que vou morrer, todo mundo sabe que vai morrer um dia, mas a gente evita pensar nesse assunto desagradável. No entanto, tenho pensado na morte não como uma tragédia, mas como um recurso para desencanar dos problemas, e então a morte se torna, ulalá, um paliativo: daqui a quarenta anos, mais ou menos, eu não vou estar mais aqui. O que são quarenta anos? Um flash. Todas as minhas preocupações desaparecerão. Nada do que eu sinto ou penso permanecerá, ao menos não para mim mesma – o que as pessoas lembrarem de mim será de responsabilidade delas. Eu vou evaporar. Sumir. Escafeder-me. Então pra que me preocupar com bobagem?

Diante da morte, tudo é bobagem. Recapitulando os exemplos dados no segundo parágrafo: ciúmes? Ouvi bem: ciúmes? De quem, pra quê, se todos irão pra baixo da terra e ninguém sobreviverá para cantar vitória? Aproveite os momentos que você tem hoje – hoje! – para desfrutar seus prazeres e não pense em perdas e ganhos, isso não existe, é pura ilusão.

Os filhos nos amam, mas fatalmente reclamarão de nós um dia, não importa o quão bacana fomos com eles. Ser 100% solícita é coisa para Madre Teresa de Calcutá. Atualização pode ser importante para o trabalho, mas nem sempre para nosso bem-estar. E, finalmente, seja qual for a direção que você der à sua vida, o que importa é que ela seja satisfatória hoje (repito a palavra mágica – hoje!) porque daqui a pouco você e suas preocupações virarão poeira.

Importantíssimo (me descuidei, deveria ter colocado esse último parágrafo lá no início, mas já que vou morrer, dane-se): se você tem menos de 40 anos, desconsidere todas as linhas desta crônica. Leve seu nascimento a sério. Antes dos 40, ninguém vai morrer. Essa é a ordem natural do pensamento humano. Pague seus impostos, preocupe-se com a direção que sua vida está tomando, morra de ciúmes, dê-se o direito a todas as cenas passionais e irracionais que incrementam seu script: não se entregue ao fatalismo. Honre o primeiro ato dessa encenação chamada vida.

Porém, depois dos 40, apenas divirta-se e não perca tempo se preocupando com bobagens. Vai dar em nada.

Novembro de 2009

Gambá com gambá

Que os opostos se atraem, não tenho dúvida, mas compensa essa teimosia? Semanas atrás, conversei com uma mulher inteligente, divertida, com mais de 60 anos e três casamentos nas costas. Ela me disse que até hoje sente falta do primeiro marido, com quem tinha afinidades infinitas e com quem viveu uma relação sólida e longeva. Lamenta ter abandonado esse casamento para sair atrás de aventuras, pois, segundo ela, não adianta querer inventar: "Gambá gosta de gambá, elefante gosta de elefante, é assim que os pares funcionam".

Tenho visto muito gambá com coelho, gaivota com jacaré, urso com leopardo, e o resultado dessas parcerias é um misto de excitação com frustração. O diferente nos desafia, mas também nos cansa. É comum nos abrirmos para esse tipo de arranjo quando somos jovens inclinados a viver no fio da navalha, mas vamos combinar que, depois de tanta batalha para encontrar o amor ideal (supondo que ele exista), melhor encurtar o caminho e aceitar o óbvio: girafa com girafa, morcego com morcego.

Acredito que alguém que gosta de ler pode se entender com aquele que não gosta, que quem acorda cedo pode se dar bem com quem dorme até o meio-dia, que quem é viciado em esportes pode se encantar por um sedentário

– mas um desacordo a cada vez, por favor. Reunir todos esses antagonismos num único casal é provocar o destino. Difícil ele sorrir para uma dupla de desajustados.

Eu já arranquei o adesivo *"vive la différence"* do vidro do meu carro. Agora quero seguir viagem com quem celebra as semelhanças.

Em se tratando de amigos, colegas e outros que compõem o elenco das minhas relações, a diversidade de ideias e de gostos me atrai. Mas para dividir comigo o volante, intimamente, melhor evitar duelos. Que nós dois gostemos de estrada. Que nós dois gostemos de dormir à noite. Que nós dois gostemos de sexo. Que nós dois tenhamos uma visão desestressada da vida. Que nós dois gostemos de rock. Que nós dois não gostemos de ver filmes dublados. Que nós dois não precisemos de muito luxo para ser feliz. Que nós dois gostemos de conversar um com o outro. Que nós dois gostemos de praia. Que nós dois gostemos de natureza. Que nós dois gostemos de Londres. Que nós dois gostemos de rir. Que nós dois não sejamos preconceituosos. Que nós dois tenhamos consciência de que estamos aqui de passagem e que é preciso aproveitar este instante. Que nós dois não sejamos evangélicos. Que nós dois sejamos cuidadosos um com o outro, amorosos um com o outro. Que nós dois sejamos honestos. Que nós dois saibamos fazer uso moderado das redes sociais. Que nós dois não sejamos reféns de grifes, mas tenhamos bom gosto. Que nós dois gostemos muito de vinho. Gambá com gambá.

Agosto de 2015

Coragem

"A pior coisa do mundo é a pessoa não ter coragem na vida." Pincei essa frase do relato de uma moça nascida no Ceará e que passou (e vem passando) poucas e boas: a morte da mãe quando tinha dois anos, uma madrasta cruel, uma gravidez prematura, a perda do único homem que amou, uma vida sem porto fixo, sem emprego fixo, mas sonhos diversos, que lhe servem de sustentação. Ela segue em frente porque tem o combustível de que necessitamos para trilhar o longo caminho desde o nascimento até a morte. Coragem.

Quando eu era pequena, achava que coragem era o sentimento que designava o ímpeto de fazer coisas perigosas, e por perigoso eu entendia, por exemplo, andar de tobogá, aquela rampa alta e ondulada em que a gente descia sentada sobre um saco de algodão ou coisa parecida. Por volta dos nove anos, decidi descer o tobogá, mas na hora H, estando já lá em cima, amarelei. Faltou coragem. Assim como faltou também no dia em que meus pais resolveram ir até a Ilha dos Lobos, em Torres, no Rio Grande do Sul, num barco de pescador. No momento de subir no barco, desisti. Foram meu pai, minha mãe, meu irmão, e eu retornei sozinha, caminhando pela praia, até a casa da vó.

Muita coragem me faltou na infância: até para colar durante as provas eu ficava nervosa. Mentir para pai e mãe, nem pensar. Ir de bicicleta até ruas muito distantes de casa, não me atrevia. Travada desse jeito, desconfiava que meu futuro seria bem diferente do das minhas amigas audaciosas.

Até que cresci e segui medrosa para andar de helicóptero, escalar vulcões, descer corredeiras d'água. No entanto, aos poucos fui descobrindo que mais importante do que ter coragem para aventuras de fim de semana era ter coragem para aventuras mais definitivas, como a de mudar o rumo da minha vida se preciso fosse.

Enfrentar helicópteros, vulcões, corredeiras e tobogás exige apenas que tenhamos um bom relacionamento com a adrenalina. Coragem, mesmo, é preciso para viajar sozinha, terminar um casamento, trocar de profissão, abandonar um país que não atende nossos anseios, dizer não para propostas vampirescas, optar por um caminho diferente, confiar mais na intuição do que em estatísticas, arriscar-se a decepções para conhecer o que existe do outro lado da vida convencional. E, principalmente, coragem para enfrentar a própria solidão e descobrir o quanto ela fortalece o ser humano.

Não subi no barco quando criança – e não gosto de barcos até hoje. Vi minha família sair em expedição pelo mar e voltei sozinha pela praia, uma criança ainda, caminhando em meio ao povo, acreditando que era medrosa. Mas o que parecia medo era a coragem me dando as boas-vindas, me acompanhando naquele recuo solitário, quando aprendi que toda escolha requer ousadia.

Junho de 2012

Futebolzinho

Vocês se veem todos os dias. Conversam sobre todos os assuntos. Almoçam ou jantam juntos diariamente. Transam com regularidade. Viajam juntos. Vão ao cinema juntos. Dormem juntos. Passam todos os Natais juntos. As férias juntos. Pelo amor de Deus, como é que você tem coragem de reclamar do futebolzinho dele?

Todo mundo precisa respirar dentro de um casamento. Você, que vive se queixando do futebolzinho dos sábados, ou do futebolzinho das quintas, ou seja lá em que dia o seu marido jogue um futebolzinho com os amigos, deveria se ajoelhar e agradecer por ele ter um hobby e não compartilhá-lo com você. Ele precisa ver outras pessoas, se desintoxicar do ambiente familiar, suar a camisa, perder a barriguinha, tomar um chopinho. Você não pode privá-lo de uma coisa tão inocente.

Você já pensou em quantas mulheres dariam tudo para que o marido delas jogasse um futebolzinho de vez em quando? Tem marido que fica em casa o dia inteiro, tem marido aposentado, tem marido que só faz dormir, tem marido que não sai da frente da televisão, tem marido sem amigo: bendita seja você que tem um marido que joga um futebolzinho.

Tem marido que viaja a trabalho toda semana, marido que vive jogando pôquer às ganhas (e sempre perde), marido que desaparece de casa e só volta três dias depois, marido que cheira, fuma e bebe todos os dias, marido que aposta até a sogra nos cavalos, marido que é violento, marido que é abobado: louvado seja o marido que só quer jogar seu futebolzinho em paz.

O futebolzinho permite que você enxergue as pernas do seu marido no inverno. O futebolzinho faz com que ele externe sua virilidade, sua fúria, sua raiva contra aquele juiz filho da mãe. O futebolzinho resgata o homem primitivo que ele tem dentro dele. O futebolzinho ajuda-o a descarregar a tensão, dá a ele uns hematomas para se orgulhar. O futebolzinho é sua religião, e você quer acabar com isso só porque ele não tem prestado atenção em você? Vá procurar suas amigas e tomar um vinhozinho, bater um papinho, pegar um cineminha. Vá descolar seu próprio futebolzinho.

Eu achei que estava fora de moda o grude nas relações, que isso era coisa do passado, mas recebi um e-mail comovente de um homem apaixonado pela esposa que tenta, desesperadamente, preservar seu futebolzinho, que ela, por sua vez, tenta a todo custo exterminar. Fiquem espertas, garotas. O futebolzinho, o vinhozinho e tudo o mais que homens e mulheres fazem separados um do outro é o que os mantém juntos.

Julho de 2001

Em que esquina dobrei errado?

Aconteceu em Paris. Estava sozinha e tinha duas horas livres antes de chamar o táxi que me levaria ao aeroporto, de onde embarcaria de volta para o Brasil. Mala fechada, resolvi gastar esse par de horas caminhando até a Place des Voges, que era perto do hotel. Depois de chuvas torrenciais, fazia sol na minha última manhã na cidade, então Place des Vosges, lá vou eu.

Sem um mapa à mão, tinha certeza de que acertaria o caminho, não era minha primeira vez na cidade. Mas, por uma falha do meu senso de orientação, dobrei errado numa esquina. Em vez de ir para a esquerda, entrei à direita. Mais adiante, aí sim, virei à esquerda, mas não encontrei nenhuma referência do que desejava. Segui reto: estaria a Place des Vosges logo em frente? Mais umas quadras, esquerda de novo. Estranho, era por aqui, eu pensava. Não que fosse um sacrifício me perder em Paris, mas eu parecia estar mais longe do hotel do que era conveniente. Mais caminhada, e então, várias quadras adiante, não foi a Place des Vosges que surgiu, e sim a Place de la Republique. Eu tinha atravessado uns três bairros de Paris, *mon Dieu*.

Perguntei a um morador o caminho mais curto para voltar à rua onde ficava meu hotel, e ele me apontou um táxi. Teimosa, pensei: ainda tenho um tempinho, voltarei a pé. E assim foram minhas duas últimas horas em Paris, uma estabanada andando às pressas, saltando as poças da noite anterior, olhando aflita para o relógio em vez de flanar como a cidade pede. Cheguei esbaforida ao hotel, peguei minha mala e, por causa da correria, esqueci no hall de entrada uma gravura linda que havia comprado e que planejava trazer em mãos no voo. Tudo por causa de uma esquina que dobrei errado.

Foram apenas duas horas inúteis e cansativas, e duas horas não são nada na vida de ninguém. Mas quanta gente perde a vida que almejou por ter virado numa esquina que não conduzia a lugar algum?

Alguns desacertos pelo caminho fazem a gente perder três anos da nossa juventude, fazem a gente perder uma oportunidade profissional, fazem a gente perder um amor, fazem a gente perder uma chance de evoluir. Por desorientação, vamos parar no lado oposto de onde nos aguardava uma área de conforto, onde encontraríamos pessoas afetivas e uma felicidade não de cinema, mas real. Por sair em desatino sem a humildade de pedir informação a quem conhece bem o trajeto ou de consultar um mapa, gastamos sola de sapato à toa e um tempo que ninguém tem para esbanjar. Se a vida fosse férias em Paris, perder-se poderia resultar apenas numa aventura, mesmo com o risco de o avião partir sem nós. Mas a vida não é férias em Paris, e aí um dia a gente se olha no espelho e enxerga um rosto envelhecido e amargurado, um rosto de quem não realizou o que desejava, não alcançou suas metas, perdeu o rumo: não consegue voltar para o início, para os seus amores, para as suas verdades, para o que deixou para trás. Não existe GPS que assegure se estamos no caminho certo. Só nos resta prestar mais atenção.

Agosto de 2010

Uma mulher entre parênteses

Era como ela catalogava as pessoas: através dos sinais de pontuação. Irritava-se com as amigas que terminavam as frases com reticências... Eram mulheres que nunca definiam suas opiniões, que davam a entender que poderiam mudar de ideia dali a cinco segundos e que abusavam da melancolia. Por outro lado, tampouco se sentia à vontade com as mulheres em estado constante de exclamação. Extra, extra! Tudo nelas causava impacto. Consideravam-se mais importantes que as outras. Ela não. Ela era mais discreta. A mais discreta de todas.

Também não era do tipo mulher dois pontos: aquela que está sempre prestes a dizer uma verdade inquestionável e que merece destaque. E tampouco era daquelas perguntadeiras xaropes que não acreditam no que ouvem, não acreditam no que veem e estão sempre querendo conferir se os outros possuem as mesmas dúvidas: será, será, será? Ela possuía suas interrogações, claro, mas não as expunha.

Era uma mulher entre parênteses.

Fazia parte do universo, mas vivia isolada em seus próprios pensamentos e emoções.

Era como se ela fosse um sussurro, um segredo, uma amante que não pode ser exibida à luz do dia. Às vezes, sentia incômodo com a situação, parecia que estava sendo discriminada, que não deveria interagir com o restante das pessoas por possuir algum vírus contagioso. Outras vezes, avaliava sua situação com olhos mais românticos e concluía que tudo não passava de proteção. Ela era tão especial que seria uma temeridade misturar-se com mulheres óbvias e transparentes em excesso. A mulher entre parênteses tinha algo a dizer, mas jamais aos gritos, jamais com ênfase, jamais invocando uma reação. Ela havia sido adestrada para falar para dentro, apenas consigo mesma.

Tudo muito elegante.

Aos poucos, no entanto, ela passou a perceber que viver entre parênteses começava a sufocá-la. Ela mantinha suas verdades (e suas fantasias) numa redoma, e isso a livrava de uma existência vulgar, mas que graça tinha? Resolveu um dia comentar sobre o assunto com o marido, que achou muito estranho ela reivindicar mais liberdade de expressão. Ora, manter-se entre parênteses era um charmoso confinamento. "Minha linda, você é uma mulher que guarda a sua alma."

Um dia ela acordou e descobriu que não queria mais guardar a sua alma. Não queria mais ser um esclarecimento oculto. Ela queria fazer parte da confusão.

"Mas, minha linda..."

E não quis mais, também, aquele homem entre aspas.

MAIO DE 2011

O amor, um anseio

Recebi de presente de uma querida amiga um livrinho com pensamentos de Carl Jung sobre o amor, esse tema fascinante que nunca se esgota. Pai da psicologia analítica, Jung faz várias considerações, até que em certo momento da leitura me deparei com a seguinte frase: "O amor da mulher não é um sentimento – isso só ocorre no homem – mas um anseio de vida, que às vezes é assustadoramente não sentimental e pode até forçar seu autossacrifício".

Peraí. Isso é sério. O que eu entendi dessa afirmação é que o homem é o único capaz de sentir um amor genuíno e desinteressado. O homem só atende ao seu mais puro sentimento – e se esse sentimento não existir, ele não compactua com uma invenção que o substitua. O homem não cria um amor que lhe sirva.

Já para a mulher o amor não é uma reação emocional, é muito mais que isso: aliado a esse sentimento latente, existe um projeto de vida extremamente racional que precisa ser levado a cabo para que ela concretize seu ideal de felicidade. O amor é uma ponte que a levará a outras realizações mais profundas, o amor é um condutor que a fará chegar a um estado de plenitude e que envolve a satisfação de outras necessidades que não apenas as de caráter romântico.

Ou seja, romântico mesmo é o homem.

A mulher necessita encontrar seu lugar no mundo, a mulher precisa completar sua missão (ter filhos, geralmente a mais prioritária), a mulher deseja responder seus questionamentos internos, a mulher sente-se impelida a formatar um esquema de vida que seja inteiro e não manco, a mulher possui uma voracidade que a faz querer conquistar tudo o que idealizou. O amor é um caminho para a realização desse projeto que é bem mais audacioso e ambicioso do que simplesmente amar por amar. O amor pode nem ser amor de verdade, mas é através de algum amor, seja ele de que tipo for, que ela confirmará sua condição de mulher. O homem já nasce confirmado em sua condição.

Será isso mesmo ou estou viajando na interpretação que fiz? Se eu estiver certa, então talvez o verdadeiro amor seja o amor da maturidade, o amor que vem depois de a mulher já ter atingido seu anseio original, o amor que surge da serenidade, depois de tanto ter se empenhado, o amor que vem quando não há mais perseguição a nada: o amor maduro e íntegro da mulher pode enfim se conectar com o amor maduro e íntegro que o homem sempre sentiu. Os amores puros de um e de outro finalmente se encaixariam – o amor real dele e o amor dela desprovido de ansiedades secretas. Enfim, juntos?

Indo mais longe, talvez isso explique por que são as mulheres as que mais pedem o divórcio: já atingiram seus propósitos e procuram agora vivenciar um amor que seja unicamente sentimental, sem cota de sacrifício, enquanto o homem só pede o divórcio quando se apaixona por outra mulher, pois ele sempre foi movido pelo amor desde o começo, deixando as racionalizações fora do âmbito do coração.

Jung, me perdoe se delirei a partir de uma única frase sua, mas me permita realizar esse meu anseio de pensar sobre o amor, além de vivenciá-lo. Que jeito, sou mulher.

Maio de 2011

Corpo interditado

Estava num café esperando por uma amiga. Enquanto o tempo passava, fiquei observando o ambiente. Outra mulher estava sozinha a poucas mesas de distância, também esperando alguém atrasado. O atrasado dela chegou antes da minha. Vi quando ela se levantou para cumprimentá-lo. Deram-se dois beijinhos. Os dois beijinhos mais vacilantes e constrangedores que podem ocorrer entre um casal. Talvez fosse delírio meu, mas tenho quase certeza de que eram ex-amantes, ex-namorados, ou um ex-marido e uma ex-esposa que haviam terminado a relação poucos dias antes, no máximo alguns meses atrás.

É uma cena clássica. Depois de anos de amor e intimidade, o casamento ou o namoro se desfaz. Os dois juram nunca mais se ver, odeiam-se por algumas semanas, até que um dia surge uma pendência para ser conversada, ou simplesmente resolvem tomar um drinque para provar ao mundo que a amizade prevaleceu, essas cenas aparentemente civilizadas que sempre trazem significados ocultos. Ou pior: encontram-se sem querer, de repente, num estacionamento no centro da cidade, num corredor de shopping, num quiosque do mercado público. Oi, você aqui? Que surpresa! E os dois beijinhos saem de uma forma tão desengonçada que seria motivo pra rir, não fosse de chorar. Eles não se possuem mais fisicamente.

Interdição do corpo. Um dos troços mais sofridos de um final de relacionamento, que só se vai experimentar depois de um tempo afastados. Uma coisa é você racionalizar sobre o desenlace trancafiada no quarto e ele ficar ruminando as razões do rompimento enquanto trabalha. Uma coisa é você chorar durante o banho para disfarçar os olhos inchados e ele falar mal de você em mesas de bar fingindo que se livrou da Dona Encrenca. Uma coisa é você consultar uma cartomante a fim de acreditar em dias mais promissores e ele sair com umas lacraias bonitinhas para provar que te esqueceu.

Outra coisa é quando os dois se encontram, cara a cara, depois de semanas ou meses apenas se imaginando.

Ele está ali na sua frente. Mas você não pode agarrar os seus cabelos, não pode passar a mão no seu peito, não pode rir de uma piada interna que só pertence aos dois, porque está oficializado que nada mais pertence aos dois.

Ela está ali na sua frente. Mas você não pode mais dar uma beliscadinha na sua bunda, não pode mais beijá-la na boca, não pode mais dizer uma safadeza em seu ouvido, porque está oficializado que ela agora é apenas uma amiga, e não se toma esse tipo de liberdade com amigas.

Depois de terem vivido, por anos, a proximidade mais libidinosa e abençoada que pode haver entre duas pessoas apaixonadas, vocês agora estão proibidos ao toque. Não se amam mais, é o que ficou decretado. Logo, os códigos de aproximação mudaram. Você dará dois beijinhos na mulher que tantas vezes viu nua, como se ela fosse uma prima.

Você dará dois beijinhos no homem para quem tanto se expôs, como se ele fosse um colega de escritório. Esses dois beijinhos doerão tanto quanto um soco do Mike Tyson em seus dias mais animalescos.

O corpo interditado. Você não pode mais tocá-lo, você não pode mais tocá-la. O definitivo sinal de que o fim não era uma ilusão: acabou mesmo.

Agosto de 2012

Vida parte 2

Uma menina me perguntou certa vez: a vida da gente melhora da metade para o final? Ela deveria ter uns 14 anos, jovem demais para dividir a existência em duas partes e colocar suas esperanças na segunda. Já eu havia recém-feito 40: estava me despedindo do "ensaio geral" e estreando na Parte 2, ainda sem saber o que estava por vir. Logo, o que responder? Admiti que considerava encantadora a primeira parte: a virgindade existencial, os primeiros amores, a juventude do corpo, os sonhos projetados para a frente, a morte a uma distância teoricamente segura. Não tinha como afirmar se a segunda parte possuiria munição suficiente para superar tanta vitalidade e expectativa, mas, dali onde eu me encontrava, seguia confiante, o futuro não me assustava. Apesar de ter vivido muito bem os primeiros quarenta, secretamente desejava que a resposta ao questionamento dela fosse um categórico sim.

Hoje aquela menina deve estar em torno dos 24 e ainda não tem sua resposta, mas garanto que anda tão ocupada que isso deixou de importar. Eu, no entanto, avancei um pouquinho na Parte 2, porém continuo sem um parecer. Tenho apenas uma intuição.

Menina que não sei o nome: decretar o que é melhor, se a primeira ou a segunda metade da vida, é uma preocupação inútil – não perca tempo com isso. A única coisa que você deve ter em mente é o seguinte: o que fizer na primeira metade terá consequências na segunda, para o bem ou para o mal. Se você for muito seletiva e insegura, acabará transferindo para mais tarde projetos que já poderiam ter sido experimentados. Procure viver as delícias de cada idade na idade certa, arrisque-se. Se não conseguir, ok: então morra de amor, vá morar sozinha em Londres, entre para uma seita, monte uma banda, tudo isso aos 60, aos 70, e danem-se as convenções.

A maturidade traz ganhos reais. A ansiedade diminui, a teatralidade também: já não vemos sentido em agradar a todos, a opinião alheia deixa de nos influenciar. Essa liberdade de ser quem realmente somos me parece o benefício maior – os jovens não percebem, mas sua liberdade é muito restrita. São pressionados a fazer escolhas tidas como definitivas (casamento, filhos, profissão) e as dúvidas se amontoam. A sociedade exige eficiência na condução desse script. Depois dos 40, a boa notícia: que sociedade, que nada. Não é ela que banca suas ideias, não é ela que enxuga suas lágrimas, não é ela que conhece suas carências. Você passa, finalmente, a ser dona do seu desejo. Não é pouca coisa.

A segunda metade trará vista cansada, um joelho menos confiável, um rosto não tão viçoso, umas manias bobas, mas o fato de já não haver tempo a desperdiçar nos torna mais focados e até mais aventureiros – pensar demais deixa de ser producente.

Perder a ilusão da eternidade traz, sim, conquistas instantâneas, mas, para isso, é preciso ter cabeça boa, conhecimento e uma forte base moral e ética. E isso você adquire na primeira metade da vida – ou padecerá na última.

Setembro de 2012

A melhor versão de nós mesmos

Alguns relacionamentos são produtivos e felizes. Outros são limitantes e inférteis. Infelizmente, há de ambos os tipos, e de outros que nem cabe aqui exemplificar. O cardápio é farto. Mas o que será que identifica um amor como saudável e outro como doentio? Em tese, todos os amores deveriam ser benéficos, simplesmente por serem amores. Mas não são. E uma pista para descobrir em qual situação a gente se encontra é se perguntar que espécie de mulher e que espécie de homem a sua relação desperta em você. Qual a versão que prevalece?

A pessoa mais bacana do mundo também tem um lado perverso. E a pessoa mais arrogante pode ter dentro de si um meigo. Escolhemos uma versão oficial para consumo externo, mas os nossos eus secretos também existem e só estão esperando uma provocação para se apresentarem publicamente. A questão é perceber se a pessoa com quem você convive te ajuda a revelar o seu melhor ou o seu pior.

Você convive com uma mulher tão ciumenta que manipula para encarcerá-lo em casa, longe do contato com amigos e familiares, transformando você num bicho do mato? Ou você descobriu através da sua esposa que as pessoas não mordem e que uma boa rede de relacionamentos alavanca a vida?

Você convive com um homem que a tira do sério e faz você virar a barraqueira que nunca foi? Ou convive com alguém de bem com a vida, fazendo com que você relaxe e seja a melhor parceira para programas divertidos?

Seu marido é tão indecente nas transações financeiras que força você a ser conivente com falcatruas?

Sua esposa é tão grosseira com os outros que você acaba pagando micos pelo simples fato de estar ao lado dela?

Seu noivo é tão calado e misterioso que transforma você numa desconfiada neurótica, do tipo que não para de xeretar o celular e fazer perguntas indiscretas?

Sua namorada é tão exibida e espalhafatosa que faz você agir como um censor, logo você que sempre foi partidário do "cada um vive como quer"?

Que reações imprevistas seu amor desperta em você? Se somos pessoas do bem, queremos estar com alguém que não desvirtue isso, ao contrário, que possibilite que nossas qualidades fiquem ainda mais evidentes. Um amor deve servir de trampolim para nossos saltos ornamentais, não para provocar escorregões e vexames.

O amor danoso é aquele que, mesmo sendo verdadeiro, transforma você em alguém desprezível a seus próprios olhos. Se a relação em que você se encontra não te faz gostar de si mesmo, desperta sua mesquinhez, rabugice, desconfiança e demais perfis vexatórios, alguma coisa está errada. O amor que nos serve e nos faz evoluir é aquele que traz à tona a nossa melhor versão.

Novembro de 2012

A arte salva

A já remota cerimônia de abertura da Olimpíada no Rio deixou claro que música, dança e teatro não são supérfluos, que precisamos de um Ministério da Cultura forte e valorizado, e que arte também é uma religião.

A arte possibilita a comunicação instantânea entre povos que não falam a mesma língua e não possuem os mesmos costumes. A arte acessa em cada um de nós uma emoção que suplanta as mesquinharias triviais e cotidianas. Traz à tona valores fundamentais, a começar pela humildade. A arte nos reposiciona: saímos do lugar comum, transcendemos e passamos a desenvolver um olhar mais amplo e generoso para o que nos cerca. A arte homenageia nossa inteligência e nossa sensibilidade. A arte é universal. É feita de mágica, beleza, espanto. Cala a nossa voz e desperta nossos sentimentos, sem os quais seríamos pessoas vazias, robotizadas.

Através da arte, nos aproximamos de outras vivências e combatemos nossos preconceitos. A arte é empática. Elimina fronteiras. Desconstrói rótulos. Mesmo quando comercial, traz sempre um valor intrínseco. A arte não tem que atender nossas demandas, não tem que ser "boazinha", não tem que ser prática – ela existe para provocar, para desenterrar aquilo que escondemos de nós mesmos por covardia: emoção dói, por isso choramos. Ela recupera a inocência da infância, aquele tempo de descobertas, quando nada sabíamos. A arte formula perguntas, nos devolve o mistério, nos coloca diante do desconhecimento, que é a única forma de crescer. A arte impõe a subjetividade como caminho para a evolução.

Precisamos da arte para extrair de nós o nosso melhor. Portanto, que nossas escolas invistam em aulas de teatro e música, que mantenham oficinas de literatura, que coloquem o artesanato no currículo, que não apenas levem os estudantes a museus, mas que também os habilitem a manejar luz, som, matéria. Sem desprezar o mundo digital, que as crianças voltem a fazer trabalhos manuais, encontrando uma forma legítima, autêntica e excitante de criar algo que as personalize.

Não é preciso Deus quando se pode contar com maestros, bailarinos, compositores, instrumentistas, cineastas, escritores, pintores, fotógrafos, dramaturgos, ceramistas, escultores, designers, atores, cantores, coreógrafos, malabaristas – e inclusive atletas. Nadia Comaneci foi uma artista. Garrincha foi um artista. Toda pessoa que consegue transformar o inesperado em poesia – através de um salto, um drible – reforça nossa autoestima e nossa fé. Se religião é crer, eu creio na arte. Ela não promove guerras, intolerância, terrorismo, repressões. Ela apenas retribui nossa crença nela, fazendo com que acreditemos em nós mesmos também.

Agosto de 2016

Admitir o fracasso

Eu estava dentro do carro em frente à escola da minha filha, aguardando a aula dela terminar. A rua é bastante congestionada no final da manhã. Foi então que uma mulher chegou e começou a manobrar para estacionar o seu carro numa vaga ainda livre. Reparei que seu carro era grande para o tamanho da vaga, mas, vá saber, talvez ela fosse craque em baliza. Tentou entrar de ré, não conseguiu. Tentou de novo, e de novo não conseguiu. E de novo. E de novo. Por pouco não raspou a lataria do carro da frente, e deu umas batidinhas no de trás que eu vi. Não fazia calor, mas ela suava, passava a mão na testa, ou seja, estava entregando a alma para tentar acomodar sua caminhonete numa vaga que, visivelmente, não servia. Ou, se servisse, haveria de deixá-la entalada e com muita dificuldade para sair dali depois. Pensei: como é difícil admitir um fracasso e partir para outra.

Para quem está de fora, é mais fácil perceber quando uma insistência vai dar em nada – e já não estou falando apenas em estacionar carros em vagas minúsculas, mas em situações variadas em que o "de novo, de novo, de novo" só consegue fazer com que a pessoa perca tempo. Tudo conspira contra, mas a criatura teima na perseguição do seu intento, pois não é do seu feitio fracassar.

Ora, seria do feitio de quem?

Todas as nossas iniciativas pressupõem um resultado favorável. Ninguém entra de antemão numa fria: acreditamos que nossas atitudes serão compreendidas, que nosso trabalho trará bom resultado, que nossos esforços serão valorizados. Só que às vezes não são. E nem é por maldade alheia, simplesmente a gente dimensionou mal o tamanho do desafio. Pensamos que daríamos conta, e não demos. Tentamos, e não rolou. "De novo!", ordenamos a nós mesmos – e ok, até vale insistir um pouquinho. Só que nada. Outra vez, e nada. Até quando perseverar? No fundo, intuímos rapidinho que algo não vai dar certo, mas é incômodo reconhecer um fracasso, ainda mais hoje em dia, em que o sucesso é superfaturado por todo mundo. Só eu vou me dar mal? Nada disso. De novo!

Desista. É a melhor coisa que se pode fazer quando não se consegue encaixar um sonho em um lugar determinado. Se nada de positivo vem desse empenho todo, reconheça: você fez a escolha errada. Aprender alemão talvez não seja para sua cachola. Entrar naquela saia vai ser impossível. Seu namorado não vai deixar de ser mulherengo, está no genoma dele. Você irá partir para a oitava tentativa de fertilização? Adote. E em vez de alemão, tente aprender espanhol. Troque a saia apertada por um vestido soltinho. Invista em alguém que enxergue a vida do seu mesmo modo, que tenha afinidades com seu jeito de ser. Admitir um fracasso não é o fim do mundo. É apenas a oportunidade que você se dá de estacionar seu carro numa vaga mais ampla e que está logo ali em frente, disponível.

Abril de 2013

De onde vem a nossa dor

A dor nas costas vem das costas, a dor de estômago vem do estômago, a dor de cabeça vem da cabeça. E sua dor existencial, vem de onde?

Ela vem da história que você meio que viveu, meio que criou – é sabido que contamos para nós mesmos uma narrativa que nem sempre bate com os fatos. Nossa memória da infância está repleta de fantasias e leituras distorcidas da realidade. Mesmo assim, é a história que decidimos oficializar e passar adiante, e dela resultam muitas de nossas fraturas emocionais.

Nossa dor existencial vem também do quanto levamos a sério o que dizem os outros, o que fazem os outros e o que pensam os outros – uma insanidade, pois quem é que realmente sabe o que pensam os outros? Pensamos no lugar deles e sofremos por esse pensamento imaginado. Nossa dor existencial vem dessa transferência descabida.

Nossa dor existencial, além disso, vem de modelos projetados como ideais, a saber: é melhor ser vegetariano do que comer carne, fazer faculdade de medicina do que hotelaria, namorar do que ficar sozinho, ter filhos do que não ter, e isso tudo vai gerando uma briga interna entre quem você é e quem gostariam que você fosse, a ponto de confundi-lo: existe mesmo uma lógica nas escolhas?

Como se não bastasse, nossa dor existencial vem do que não é escolha, mas destino: quem é muito baixinho, ou é pobre de amargar, ou tem dificuldade de perder peso vai transformar isso em uma pergunta irrespondível – por que eu? – e a falta de resposta será uma cruz a ser carregada.

Nossa dor existencial vem da quantidade de nãos que recebemos, esquecidos de que o "não" é apenas isso, uma proposta negada, um beijo recusado, um adiamento dos nossos sonhos, uma conscientização das coisas como elas são, sem a obrigatoriedade de virarem traumas ou convites à desistência.

Nossa dor existencial vem do bebê bem tratado que fomos, nada nos faltava, éramos amamentados, tínhamos as fraldas trocadas, ninavam nosso sono, até que um dia crescemos e o mundo nos comunicou: agora se vire, meu bem. Injustiça fazer isso com uma criança – alguém aí por acaso deixou totalmente de ser criança?

Nossa dor existencial vem da incompreensão dos absurdos, da nossa revolta pelos menos favorecidos, da inveja pelos mais favorecidos, da raiva por não atenderem nossos chamados, por cada amanhecer cheio de promessas, pela precariedade das nossas melhores intenções e pela invisibilidade que nos outorgamos: por que nunca ninguém nos enxerga como realmente somos?

Dor de dente vem do dente, dor no joelho vem do joelho, dor nas juntas vem das juntas. Nossa dor existencial vem da existência, que nenhum plano de saúde cobre, de tão difícil que é encontrar seu foco e sua cura.

Novembro de 2013

Meu ladrão era um amor

Ela contou a história com os olhos brilhando. Havia acontecido o seguinte: era início de tarde quando ela embicou o carro em frente à garagem, estava voltando para casa com a filha de 10 anos no banco traseiro. Ela não sabe de onde ele surgiu: o homem simplesmente se materializou ao lado da sua janela portando um revólver. Mandou que ela saísse do veículo e que deixasse a chave na ignição. A primeira coisa em que ela pensou foi na filha, claro, que estava sentada atrás do banco do carona. Ordenou à menina com autoridade de mãe: "Sai do carro agora, Valéria". A menina não se mexeu, estava em estado de choque. "Sai, Valéria. Agora!". A menina, que tinha total capacidade de se movimentar sozinha, não moveu um músculo. Minha amiga não quis sair e deixar a menina ali atrás, não confiava que o ladrão fosse esperar até ela circundar o carro para ajudar a retirar a filha. Ao mesmo tempo, temia que o gesto brusco de virar todo o corpo para trás a fim de puxar Valéria para si fosse considerado por ele alguma espécie de reação, e ele atirasse.

Ela tinha um milésimo de segundo para decidir, mas ele decidiu por ela: "Eu espero". O quê? "Vai tirar tua guria do carro, eu espero." E abriu a porta para ela sair, como se fosse um manobrista. Ela pediu permissão para puxar a menina para o banco da frente, ele autorizou. Resgatada, a menina se grudou no pescoço da mãe e saíram as duas pela porta do motorista, ele aguardando calmamente a operação com a mão no trinco. Com o carro desocupado, foi a vez de ele entrar e ir embora – "sem cantar pneu", lembra ela. "Meu ladrão era um amor."

"*Meu* ladrão." Hoje, cada um de nós tem o seu. Algumas pessoas, até mais de um. O ladrão da minha amiga era um amor porque, segundo ela, não parecia drogado e tinha compaixão (o que ela chama de compaixão talvez fosse apenas o bom senso de não levar uma criança com ele no próximo assalto que iria fazer, mas, vá lá, pode ter sido compaixão). O cara não a agrediu, não deu coronhada, não a chamou de vagabunda, não a torturou psicologicamente com frases como: "Ou a guria sai ou levo junto!", "Ou ela cai fora ou leva chumbo!". Será que o ladrão dela sabia rimar? Talvez. Era um amor.

Minha professora de pilates é um amor, minha astróloga é um amor, minha florista é um amor: são gentis, sorridentes, tornam a minha vida melhor. Já ladrão é aquele sujeito que, se prevalecendo do regime semiaberto, ameaça outras pessoas na rua levando embora seus bens e sua confiança, que jamais serão recuperados.

Mas não levando nossa vida, são uns amorecos mesmo.

Março de 2014

Handle with care

Certamente você já leu a frase que acompanha o aviso "Fragile" em embalagens que chegam do exterior. Duas mãos espalmadas circundam uma caixinha e a etiqueta diz: *Handle with care*. Manuseie com cuidado.

Uma querida amiga que mora na Suécia me mandou um e-mail esta semana dizendo que muitas pessoas deveriam ter esse adesivo grudado no próprio corpo. Eu diria que não apenas muitas: todas. Afinal, nada mais frágil que um ser humano.

Costumamos tratar com delicadeza as crianças, por seu tamanho e inocência, e os idosos, por sua vulnerabilidade física e por respeito, mas, quando se trata da vastíssima parcela da população que se situa entre esses dois extremos, passamos por cima feito um trator desgovernado. A ideia geral é: adultos sabem se defender.

Alguns sabem, outros menos. Todos nós recebemos vários trancos da vida e acabamos desenvolvendo alguma resiliência e capacidade de se regenerar, mas isso não quer dizer que não há dentro de nós algo que possa quebrar de forma irreversível.

E quebra mesmo. Espatifa de forma a impedir a colagem dos cacos. *Handle with care*.

Há por aí campanhas pregando mais gentileza e mais educação, e assino embaixo, naturalmente. Mas elas têm um caráter superficial, induzem apenas a gestos e atitudes corteses, como esperar alguém sair do elevador antes de a gente entrar, dar bom dia a quem cruza por nós, desejar feliz Natal e boas-festas. Isso é tratar bem, não tratar com cuidado.

Tratar com cuidado significa se colocar no lugar do outro e dimensionar o quanto uma estupidez pode machucar. Significa levar em consideração as dificuldades de alguém a fim de não exigir demais de seus sentimentos e posicionamentos. Significa compreender que a comunicação é fundamental para o entendimento e a paz, e que atitudes bruscas podem ser mal interpretadas. Significa honrar o laço construído e não colocar na intimidade a desculpa para agredir – agressões não podem virar hábito da casa.

O que cada pessoa leva dentro? Sonhos que podem parecer bobagem para os outros, mas que são sagrados para ela. Traumas que ainda não foram superados e que doem a cada vez que são lembrados. Vergonhas inconfessas. Feridas que custaram a cicatrizar e que basta um cutucãozinho para reabrirem. Desejos que não merecem ser ridicularizados. Necessidade de ser amado e aceito. Uma parte da infância que nunca se perdeu.

As pessoas gritam e rugem umas para as outras, quando não fazem pior: ignoram umas às outras, como se todos fossem feitos de pedra, como se todos estivessem protegidos por plástico bolha, como se a blindagem fosse geral: é só mirar e atirar que não dá nada.

Dá sim. Pode não parecer, mas todo ser humano é um cristal.

Dezembro de 2014

Levantando voo

Ontem minha filha embarcou num avião para uma viagem ao exterior sem data de retorno. Está realizando um sonho antigo, mas que se tornou premente nos últimos meses. Formada, inquieta, faminta por novas experiências de vida, acumulou salários, vendeu alguns pertences, passou madrugadas pesquisando as menores tarifas de passagem e hospedagem, arrumou a mala e se foi.

Muitos pais têm vivido essa ruptura: ver seus filhos partirem em busca de mais conhecimento e amadurecimento, jovens que precisam abandonar o ninho para um voo solo a fim de descobrirem uma nova direção e um ponto de vista que os surpreenda. Querem nascer de novo, agora sem cordão umbilical de nenhuma espécie.

O mundo deu uma encolhida. Pelo WhatsApp ela poderá postar o que está almoçando, pelo Skype verei seu novo corte de cabelo, pelo Facebook irei acompanhar suas fotos e bateremos papos virtuais, coisa, aliás, que absurdamente já fizemos estando ela no seu quarto e eu na sala. Então o que significa, mesmo, distância?

Nos dias atuais, as distâncias tornaram-se bem menos dramáticas, não há mais invisibilidade e silêncio, estejamos a poucos metros ou a muitos quilômetros da pessoa amada. O toque continua restrito aos corpos presentes, mas já não perdemos ninguém de vista. E isso nos libera para sofrer menos e pensar com mais positivismo sobre as separações.

Desde que a colocaram nos meus braços, na maternidade, percebi em seus olhos que ela não se conformaria com os limites impostos pela segurança de uma vida regrada. Sempre considerou o mundo seu quintal. A palavra estrangeiro nunca encontrou lugar em seu vocabulário. Todos os seus objetivos foram tratados como realizáveis, independentemente de onde, de quando, de quem, de como.

Os filhos voltam, quase todos. Nem que seja para nos visitar. Se ela não vier, eu irei até ela, não é esta a questão. O que me sensibiliza é que a nossa vida está mudando – mais uma vez. Um ciclo se encerra para dar início a outro. A família até então estruturada se decompõe para que cada um de seus membros forme outros núcleos, novas rotinas. Ela voltará um dia, mas para morar em seu próprio apartamento. Ou voltará para morar em São Paulo. Ou voltará casada. Voltará – mas nunca mais a mesma. O que vivemos juntas nestes últimos vinte e três anos virou memória desde ontem. A partir de agora, estaremos iniciando uma viagem inédita ao futuro, estando aqui ou estando fora.

Não posso ficar triste, mesmo com o coração apertado. É da vida esse chamado, que é atendido por aqueles que têm coragem de partir e mais coragem ainda de chegar. De chegar neles mesmos, que é onde cada um, não importa a via escolhida, confirma a razão da própria existência.

Março de 2015

A desagradável tarefa de fazer-se odiar

Pais de família estão cada vez mais participativos, atuantes, necessários, afetivos, fundamentais na criação dos filhos, ao contrário do que acontecia nas gerações anteriores, quando o pai era uma figura cerimoniosa, o provedor que detinha a última palavra nas questões graves e terceirizava o resto. Hoje não. Hoje os pais deitam, rolam, se embolam, se envolvem nas pequenezas cotidianas, são quase mães.

Quase. Porque tem uma coisa que a maioria deles ainda não consegue assumir: a desagradável tarefa de fazer-se odiar.

Li essa frase num livro (em outro contexto) e achei que fechava perfeitamente com a maternidade. O que é ser mãe, senão tomar para si o papel de chata da família?

As cobranças do dia a dia são especialidade nossa: o que comeu, o que vestiu, se tomou banho, a toalha no chão, os garranchos, o blusão amarfanhado, a luz que ficou acesa, liga pra tua vó, o estado deplorável do tênis, a hora em que foi dormir, segura direito esse talher, deixa de preguiça, cuidado ao atravessar, não durma de cabelo molhado, largue esse computador, menos palavrão, hora de acordar, a consulta no dentista, quem é o amigo mal-encarado, convida os teus primos, não tranca a porta à chave, fecha a janela, abre a janela, não corre pela casa, me avisa assim que chegar, tu anda bebendo?

Não que o pai seja relapso, mas se ele ainda vive com a mãe das crianças, a patrulha cotidiana possivelmente ficará a cargo do sargento de saias. Nós, tão femininas, tão doces, tão sensíveis, tão amorosas, não pensamos duas vezes em abrir mão desses suaves atributos caricaturais a fim de manter a casa de pé, a roda girando, a vida funcionando, todo mundo no eixo. Se tivermos que ser antipáticas, seremos. Se tivermos que ser repetitivas, que jeito. Controladoras? Pois é. Alguém tem que se encarregar do trabalho sujo.

É uma generalização, eu sei, mas amparada no senso comum. Os pais mandam, ralham, brigam, mas raramente perdem a cabeça, quase nunca gritam e se estressam. Eles têm essa irritante capacidade de manter a boa reputação com os filhos. Se forem obrigados a escolher um lado durante o barraco, dirão que estão do lado da mãe, que estão de acordo com tudo o que ela disse, mas irão piscar para o filho quando ela não estiver olhando.

Ao fim e ao cabo, mães dão conta de todas as crianças da casa. Todas.

É o nosso papel: reger a orquestra familiar ofertando nosso melhor, mesmo que ele seja confundido com nosso pior. É o risco que corremos, mas não há outra maneira de educar. O excesso de zelo pode ser estafante, mas é preciso segurar o tranco de ser odiada um pouquinho a cada dia a fim de garantir um amor pra sempre.

Maio de 2015

Adúlteros

Todo adulto é um adúltero. Não precisa ser fiel a mais nada.

Se ele continua apegado a antigas convicções, antigas preferências e antigas manias, é um preguiçoso que se acomodou, escolheu viver de forma repetitiva, no piloto automático, cansado para novos entusiasmos. Está aguardando a morte sem aproveitar a liberdade que a maturidade lhe daria, caso tivesse amadurecido. Se ainda está agarrado ao que lhe definia aos 18 anos, então não saiu mesmo dos 18.

Um adulto de verdade, bem acabado, trai a si próprio sem um pingo de culpa. Festeja a alforria que o acúmulo de vivência lhe trouxe de bônus. Tornou-se um condenado à morte com direito a centenas de últimos desejos.

Um adulto é um adúltero que um dia jurou fidelidade eterna aos Beatles e aos Rolling Stones, mas que um belo dia cansou de conservá-los com naftalina e resolveu confessar que já não consegue escutar "Yesterday" sem enfrentar náuseas e que se sente ridículo dançando "I can't get no satisfaction". Trocou o rock pelo neo soul, seja lá o que for isso. Escuta coisas que despertam sua atenção aqui e ali, estilos que gosta num dia e dispensa no outro, e segue em busca de novidades sem querer aterrissar em mais nenhuma "banda preferida" que o enclausure num perfil. Só não rasga a carteira de identidade porque o juízo se mantém.

Um adulto é um adúltero que adorava o verão quando era um frangote, mas que ao abandonar as pranchas e ao se aproximar dos livros acabou criando uma predileção pelo inverno, até que o tempo passou mais um pouco e ele entendeu que a primavera e o outono é que eram cativantes pela ausência de extremismo, e agora, neste instante, voltou a preferir o verão, mas não assina embaixo, não tem mais firma reconhecida em cartório algum.

Um adulto é um adúltero que deixou de ser fiel aos próprios gostos. Deu-se conta disso quando, ao frequentar a casa de amigos, reparava que serviam a ele sempre o mesmo prato: como explicar que virou um cafajeste gastronômico chegado a outros sabores? As conversas igualmente passaram a se repetir e ele se flagrou aceitando convites de estranhos – hoje é chegado a outros amigos também.

Don Juan de si mesmo, já não tem cor que lhe assente, autor que o represente, estilo de vestir que o catalogue, pensamento que o antecipe, sonho que o enquadre, viagem que o carimbe. Só não muda de time de futebol porque restou algum caráter.

Quanto ao amor, não é tolo. Sabe que quanto mais ele se abre para o mundo, quanto mais areja e celebra a própria vida, mais seguro estará nos braços de uma única pessoa, preservando a intimidade conquistada. Amor não é cor, música, esporte, estação do ano, ponto no mapa. Ele varia a si mesmo justamente para não precisar se procurar em mais ninguém.

Maio de 2016

Viciados em companhia

Não confio no amor de quem não consegue ficar sozinho.

Nunca foi ao cinema sozinho, nunca viajou sozinho, perambula pela rua feito um cão que se perdeu do dono. Sentar na lanchonete de uma livraria para tomar um cafezinho assemelha-se a uma catástrofe. Sua solidão lhe parece vergonhosa e indigesta, é evitada com o mesmo afinco com que evitaria a morte.

Para ele, qualquer parceria é melhor que nenhuma. Uma conversa enfadonha é melhor que o silêncio. Um chato é melhor que ninguém. É praticamente um viciado em companhia. E como todo viciado, critério não é o seu forte.

Não confio no amor de quem não suporta a própria presença.

De quem telefona afim de papo-furado, de quem envia mensagens só para ouvir o sinal da chegada da resposta, de quem precisa se iludir de que não está só. Quem de nós não está só?

Uma manhã de frente para o mar, uma tarde com um livro, uma noite com um filme, três dias inteiros numa cidade estranha, uma rua que nunca foi atravessada, um museu com tempo livre à vontade, uma cama vazia – para ele, simulacros do inferno.

Não confio no amor de quem não se entretém.

De quem se desespera em frente ao espelho, de quem não consegue se maravilhar num jardim, de quem não se comove ao ouvir uma música, de quem não gosta de andar de ônibus enquanto aprecia a paisagem, de quem não se sente inteiro num trem.

Sozinho é uma coisa, solitário é outra. Sozinho é com, solitário é sem.

Eu sozinha sou muitas. Sozinha, tem mais sabor minha comida, tem mais foco o meu olhar, tem mais profundezas o meu ser. Sozinha tem mais espaço minha liberdade, tem mais imaginação a minha fantasia, tem mais beleza a minha individualidade. Sozinha tem mais força o meu pensamento, mais inteireza a minha vontade.

Não confio no amor de quem negocia sua autenticidade.

Como amar de verdade outro alguém, se não sabe de onde esse amor vem? Onde foi gerado, por que necessário, que atributos ele contém? Amar é doar, não vem do doer. Amar é saber que aquele que a gente ama, se faltar, vai deixar saudade, mas não nos transformará num cadáver vagando ao léu. Não confio em quem ama para ser um par, não confio em quem quer apenas se enquadrar, não confio em quem ama por não se tolerar.

Amar tem que ser extraordinário. Além do que já se tem.

Se sozinho você não se tem, amar vira tubo de oxigênio, ânsia, invenção e enredo barato, perde a dignidade, o amor vira muleta e trucagem. Confio, sim, no amor de quem não precisa amar por sobrevivência, de quem se basta e mesmo assim é impelido a se dar, porque dar-se é excelência, não é mendicância.

Não confio no amor de quem não se ama em primeira instância.

Maio de 2015

Nem todo mundo

A gente acredita que existe um senso comum regendo nossos gostos e opiniões, porém somos 7 bilhões pensando e vivendo de forma muito distinta uns dos outros.

Nem todo mundo é regido pelo dinheiro, por exemplo. Dinheiro é bom, é necessário, e quanto mais, melhor – mas esse "mais" não obceca a todos. Há quem troque o "mais dinheiro" por "mais sossego" e "mais tempo ocioso". Qual o sentido de trabalhar insanamente se já se tem o suficiente para viver com dignidade?

Nem todo mundo gostaria de morar numa mansão com uma dezena de quartos e espaço de sobra para se perder: tenho uma amiga que desistiu do apartamento cinematográfico onde morava, pois ela não conseguia enxergar os filhos nem conversar com eles – eram longos os corredores e muitas as portas. Parecia que a família vivia num hotel, e não num lar. Trocou por um apartamento menor e aproximaram-se todos.

Nem todo mundo prefere mulheres com cara de boneca e corpo de modelo, ou homens com rosto de galã e corpo de fisiculturista. Imperfeições, exotismo, autenticidade, um look de verdade, natural, sem render-se a uma busca sacrificada pela beleza, ah, o valor que isso ainda tem.

Nem todo mundo gosta de bicho, de doce, de praia, de ler, de criança, de festa, de esportes, e nem por isso merece ser expulso do planeta por inadequação crônica. Seus prazeres estão fora do catálogo da normalidade e ainda assim são criaturas especiais a seu modo, enquanto outras pessoas podem cumprir todas as obviedades consagradas e isso não adiantar nada na hora da convivência: são ruins no trato, fracas de humor e voltadas para o próprio umbigo, apesar de seu exemplar enquadramento social.

Nem todo mundo veio ao mundo para brigar, para reclamar, para agredir, para difamar, para fofocar, para magoar, para se vingar, para atrapalhar – hábitos de muitos, até arrisco dizer que da maioria, já que é mais fácil chamar a atenção através do nosso pior do que do nosso melhor. O pior faz barulho, o pior ganha as manchetes, o pior gera comentários, o pior recebe os holofotes, o pior causa embaraço. Porém, há os que vieram em missão de paz e não se afligem pela discreta repercussão de seus atos.

Nem todo mundo quer casar, quer filhos, quer fazer faculdade. Nem todo mundo quer ser campeão, presidente, celebridade. Há quem queira apenas viver de um jeito que não seja julgado por ninguém, há quem queira apenas se expressar de um modo menos exuberante e mais íntimo, há quem queira apenas passar pela vida nutrindo a própria identidade, não se preocupando em colecionar seguidores, admiradores e afetos de ocasião.

Sem jogar para a torcida, há quem queira somente estar bem consigo mesmo.

JUNHO DE 2015

O amor e tudo que ele é

O amor já foi uno, concreto e definido. Mas o século mudou e com ele as variantes do amor, que se multiplicaram. Hoje há diversas formatações para vivenciá-lo, são inúmeros os seus significados e ilimitadas as suas maneiras de encantar e transformar. O amor romântico – "eu e você para sempre" – é apenas uma de suas modalidades.

O que é o amor, afinal? Impossível resumir num só conceito. Amor é gratidão por alguém ter nos tornado especial. Amor é a realização de um ideal criado ainda na infância. Amor é a possibilidade de repetir o mais importante feito de nossos pais – aquele sem o qual não teríamos nascido. Amor é projetar no outro aquilo que nos falta. Amor é erotismo. Amor é uma experiência sensorial. Amor é carência. Amor é o gatilho para formar uma família. Amor é aquele troço sem razão que bagunça a nossa vida. Que melhora a nossa vida. Que piora a nossa vida. Que justifica a nossa vida.

Amor é uma forma de escapar da vulgaridade. Amor é uma mentira que amamos contar. Amor é um álibi para crimes e casamentos. Amor é a vingança contra a objetividade. Amor é divisão de fardo. Amor é um antídoto contra a solidão. Amor é uma invenção do cinema e da literatura. Amor é paz. Amor é a busca de um tormento que torne a vida mais emocionante. Amor é a vitória do cansaço, já que paixões sequenciais exaurem. Amor é o nome que se dá para uma emoção que nos domina e do qual não queremos ser libertados.

Amamos pais, irmãos, amigos. Amamos os namorados que tivemos e os que ainda teremos, amamos nosso marido até o dia em que ele não retorna para casa, amamos nossos ídolos até que eles nos decepcionem, amamos nossos filhos mesmo que nos decepcionem, amamos nosso cão e nosso gato quase acima de Deus, amamos Deus acima de tudo, pois cremos que Ele não nos faltará, amamos a nós mesmos apesar de saber que nem tudo é amável em nós.

Amor não é uma desculpa esfarrapada. Ela é muito bem costurada.

Amor pode brotar de um olhar, de um beijo, de um desejo. Amor é encasquetar. Se alguém lhe faz perguntas a respeito do que está sentindo, você, na falta de argumento melhor, responde que é amor, que sempre foi amor, e ninguém espicha a conversa porque contra o amor não há réplica.

Como pode alguém ter amado uma pessoa ontem e hoje amar outra, como pode ter amado uma mulher e hoje um homem, como pode amar duas mulheres ao mesmo tempo, como pode já ter vivido com vários, como pode sentir amor por um salafrário, como pode sentir-se inteiro repartindo-se em dois, como pode ser poli, multi, bissexual, bígamo, hétero, homo, fiel, infiel, amoral? Como, diante desse sentimento, ter alguma certeza?

O amor paira acima das classificações. Tem mil jeitos, mil formas, mil dobras. É a nossa maior proeza.

Julho de 2016

Dublê

Dublês, enviem seus currículos. Estou contratando.

Cena 1. Era para eu estar concentrada em frente ao computador escrevendo uma coluna para a próxima semana, mas a inspiração é zero e nem posso alegar que nada está acontecendo ao meu redor. Como não? Pois é, só que travei. Cansei. Um dublê de colunista, por favor. Eu vou até ali na cozinha tomar um copo d'água e volto em um ano.

Cena 2. Estou paralisada diante das vertiginosas demandas digitais. Inúmeros e-mails sem resposta, milhares de curtidas que não dei nas postagens dos amigos, o site do banco está fora do ar, esqueci a senha da conta jurídica, entrou um vírus, a navegação está lenta, mandei um WhatsApp comprometedor para a pessoa errada. Preciso de um dublê educado, zen e especialista em TI. Enquanto isso, vou até ao banheiro escovar os dentes e retorno em dois anos.

Cena 3. Ele quer transar às 3h30 da manhã. Dublê, assuma e não se queixe. Poderia ser pior: ele querer discutir a relação.

Cena 4. Minha mãe reclama que estamos nos vendo pouco. Falamos todos os dias pelo telefone, mas isso não conta. Dublê, a visite, leve revistas, chocolates e não esqueça de tirar duas ou três selfies para eu postar no Face, caso ela invente de entrar com uma ação contra mim.

Cena 5. Blitz. Eu bebi meio cálice de vinho, mas isso já é suficiente para prisão perpétua e apreensão do veículo. Dublê, dirija meu carro e esteja sóbrio. Eu vou até ali no bistrô beber o resto da garrafa com minhas amigas e volto direto pra casa, a pé.

Cena 6. A expressão "um aperto no peito" deixou de ser figurativa para ser real. O nome disso, se não for princípio de infarto, é angústia. Dublê, são tempos difíceis. Se alguém quiser bater boca comigo, me represente enquanto medito até o próximo sábado.

Cena 7. Uma filha está usando um alargador na orelha. A outra abandonou a casa e o emprego para se aventurar pelo mundo. Minha funcionária pediu adiantamento, o segundo esse mês. Estou precisando tonalizar o cabelo de novo. Minhas unhas estão um lixo. Engordei três quilos e justo agora minha instrutora de pilates saiu de férias, e a terapeuta também. Você não é multitarefas? Dublê de mulher tem que ser.

Cena 8. Ao acertar minha participação num evento literário, sou avisada de que preciso imprimir três vias do contrato e reconhecer firma em cartório. Pelo visto, há muitos escritores falsificando suas assinaturas por aí. Preciso de um dublê despachante pra ontem.

Cena 9. Tratamento de canal. Ressonância magnética. Ecografia mamária. Por favor, marque as consultas e vá no meu lugar, pode usar meu plano de saúde.

Cena 10. Não acredito. Ele quer discutir a relação. Dublê!

Setembro de 2016

Do mês que vem não passa

Juntos chegaram à conclusão de que o casamento estava um tédio, que o amor havia sumido e que a presença um do outro incomodava mais do que estimulava: nem mesmo a amizade e a ternura haviam sobrevivido. Depois de algumas cobranças inevitáveis, muita DR e lágrimas à beça, optaram por seguir cada um para seu lado. Quando? Logo depois das férias de julho: a gente viaja com as crianças e depois você sai de casa. Perfeito.

Voltaram de viagem mais duros do que nunca foram, o saldo completamente no vermelho. Não era uma boa hora para comprometer o orçamento com um novo aluguel. Ela compreendeu e disse para ele ficar em casa até as finanças se estabilizarem de novo, quando ele então poderia procurar um apartamentozinho.

O casamento seguia um tédio, mas o clima estava mais ameno, sabiam que dali a pouco estariam separados para sempre, então calhava uma harmonização, eles até passaram a sorrir com mais frequência e, olhando assim, de longe, qualquer um diria que aqueles dois se entendiam bem.

As dívidas da viagem foram pagas e, depois de mais uma entre tantas discussões bestas, resolveram agendar de vez a separação: logo depois do aniversário do pequeno Bruninho, que dali a um mês faria 19 anos e media 1m87.

Bruninho não quis festa e o saldo do casal voltou a ficar positivo, mas não por muito tempo: a tevê já veiculava comerciais com a presença do Papai Noel. Natal era sempre uma despesa, e os sogros viriam do interior pra comemorar com a família reunida, melhor deixar passar o Natal e o Ano-novo. É melhor, também acho.

Em fevereiro a Bia, filha mais velha, inventou de ir para a praia com as amigas e ficou o mês inteiro lá, assim que ela voltasse os dois dariam o xeque-mate na relação. Bia voltou e já era quase Páscoa, e Páscoa sem ir pra fazenda da tia Sonia não era Páscoa. Depois da Páscoa receberam o convite para serem padrinhos de casamento de um afilhado, melhor não criar constrangimento na igreja. Em seguida foi o aniversário dele, que sempre fica meio caído nessa data, melhor deixar passar o inferno astral. E quando passou, aí foi ela que aniversariou.

Estão casados até hoje. Mas do mês que vem não passa.

Dezembro de 2001

A morte devagar

Morre lentamente quem não troca de ideias, não troca de discurso, evita as próprias contradições.

Morre lentamente quem vira escravo do hábito, repetindo todos os dias o mesmo trajeto e as mesmas compras no supermercado. Quem não troca de marca, não arrisca vestir uma cor nova, não dá papo para quem não conhece.

Morre lentamente quem faz da televisão o seu guru e seu parceiro diário. Muitos não podem comprar um livro ou uma entrada de cinema, mas muitos podem, e ainda assim se alienam diante de um tubo de imagens que traz informação e entretenimento, mas que não deveria, mesmo com apenas 14 polegadas, ocupar tanto espaço em uma vida.

Morre lentamente quem evita uma paixão, quem prefere o preto no branco e os pingos nos is a um turbilhão de emoções indomáveis, justamente as que resgatam brilho nos olhos, sorrisos e soluços, coração aos tropeços, sentimentos.

Morre lentamente quem não vira a mesa quando está infeliz no trabalho, quem não arrisca o certo pelo incerto atrás de um sonho, quem não se permite, uma vez na vida, fugir dos conselhos sensatos.

Morre lentamente quem não viaja, quem não lê, quem não ouve música, quem não acha graça de si mesmo.

Morre lentamente quem destrói seu amor-próprio. Pode ser depressão, que é doença séria e requer ajuda profissional. Então fenece a cada dia quem não se deixa ajudar.

Morre lentamente quem não trabalha e quem não estuda, e na maioria das vezes isso não é opção e, sim, destino: então um governo omisso pode matar lentamente uma boa parcela da população.

Morre lentamente quem passa os dias se queixando da má-sorte ou da chuva incessante, desistindo de um projeto antes de iniciá-lo, não perguntando sobre um assunto que desconhece e não respondendo quando lhe indagam o que sabe. Morre muita gente lentamente, e esta é a morte mais ingrata e traiçoeira, pois quando ela se aproxima de verdade, aí já estamos muito destreinados para percorrer o pouco tempo restante. Já que não podemos evitar um final repentino, que ao menos evitemos a morte em suaves prestações, lembrando sempre que estar vivo exige um esforço bem maior do que simplesmente respirar.

Novembro de 2000

O mulherão

Peça para um homem descrever um mulherão. Ele imediatamente vai falar no tamanho dos seios, na medida da cintura, no volume dos lábios, nas pernas, bumbum e cor dos olhos. Ou vai dizer que mulherão tem que ser loira, 1m80, siliconada, sorriso colgate. Mulherões, dentro desse conceito, não existem muitos. Agora pergunte para uma mulher o que ela considera um mulherão e você vai descobrir que tem uma em cada esquina.

Mulherão é aquela que pega dois ônibus para ir pro trabalho e mais dois pra voltar, e quando chega em casa encontra um tanque lotado de roupa e uma família morta de fome. Mulherão é aquela que vai de madrugada pra fila garantir matrícula na escola e aquela aposentada que passa horas em pé na fila do banco para buscar uma pensão de poucos reais. Mulherão é a empresária que administra dezenas de funcionários de segunda a sexta, e uma família todos os dias da semana. Mulherão é quem volta do supermercado segurando várias sacolas depois de ter pesquisado preços e feito malabarismo com o orçamento. Mulherão é aquela que se depila, que passa cremes, que se maquia, que faz dieta, que malha, que usa salto alto, meia-calça, ajeita o cabelo e se perfuma, mesmo sem nenhum convite para ser capa de revista. Mulherão é quem leva os filhos na escola, busca os filhos na escola, leva os filhos pra natação, busca os filhos na natação, leva os filhos pra cama, conta histórias, dá um beijo e apaga a luz. Mulherão é aquela mãe de adolescente que não dorme enquanto ele não chega, e que de manhã bem cedo já está de pé, esquentando o leite.

Mulherão é quem leciona em troca de um salário mínimo, é quem faz serviços voluntários, é quem colhe uva, é quem opera pacientes, é quem lava roupa pra fora, é quem bota a mesa, cozinha o feijão e à tarde trabalha atrás de um balcão. Mulherão é quem cria filhos sozinha, quem dá expediente de oito horas e enfrenta menopausa, TPM e menstruação. Mulherão é quem arruma os armários, coloca flores nos vasos, fecha a cortina para o sol não desbotar os móveis, mantém a geladeira cheia e os cinzeiros vazios. Mulherão é quem sabe onde cada coisa está, o que cada filho sente e qual o melhor remédio pra azia.

Longa vida às mulheres lindas de morrer, mas mulherão é quem mata um leão por dia.

MARÇO DE 1999

O mundo não é maternal

É bom ter mãe quando se é criança, e também é bom quando se é adulto. Quando se é adolescente a gente pensa que viveria melhor sem ela, mas é erro de cálculo. Mãe é bom em qualquer idade. Sem ela, ficamos órfãos de tudo, já que o mundo lá fora não é nem um pouco maternal conosco.

O mundo não se importa se estamos desagasalhados e passando fome. Não liga se viramos a noite na rua, não dá a mínima se estamos acompanhados por maus elementos. O mundo quer defender o seu, não o nosso.

O mundo quer que a gente fique horas ao telefone, torrando dinheiro. Quer que a gente case logo e compre um apartamento que vai nos deixar endividados por vinte anos. O mundo quer que a gente ande na moda, que a gente troque de carro, que a gente tenha boa aparência e estoure o cartão de crédito. Mãe também quer que a gente tenha boa aparência, mas está mais preocupada com o nosso banho, com os nossos dentes e nossos ouvidos, com a nossa limpeza interna: não quer que a gente se drogue, que a gente fume, que a gente beba.

O mundo nos olha superficialmente. Não consegue enxergar através. Não detecta nossa tristeza, nosso queixo que treme, nosso abatimento. O mundo quer que sejamos lindos, atléticos e vitoriosos para enfeitar ele próprio, como se fôssemos objetos de decoração do planeta. O mundo não tira nossa febre, não penteia nosso cabelo, não oferece um pedaço de bolo feito em casa.

 O mundo quer nosso voto, mas não quer atender nossas necessidades. O mundo, quando não concorda com a gente, nos pune, nos rotula, nos exclui. O mundo não tem doçura, não tem paciência, não para a fim de nos ouvir. O mundo pergunta quantos eletrodomésticos temos em casa e qual é o nosso grau de instrução, mas não sabe nada dos nossos medos de infância, das nossas notas no colégio, de como foi duro arranjar o primeiro emprego. Para o mundo, quem menos corre, voa. Quem não se comunica se trumbica. Quem com ferro fere, com ferro será ferido. O mundo não quer saber de indivíduos, e sim de slogans e estatísticas.

 Mãe é de outro mundo. É emocionalmente incorreta: exclusivista, parcial, metida, brigona, insistente, dramática, chega a ser até corruptível se oferecermos em troca alguma atenção. Sofre no lugar da gente, se preocupa com detalhes e tenta adivinhar todas as nossas vontades, enquanto o mundo, propriamente dito, exige eficiência máxima, seleciona os mais bem-dotados e cobra caro pelo seu tempo. Mãe é de graça.

Maio de 2000

Pregos

Foi de repente. Dois quadros que tenho na parede da sala despencaram juntos. Ninguém os havia tocado, nenhuma ventania naquele dia, nenhuma obra no prédio, nenhuma rachadura. Simplesmente caíram, depois de terem permanecido seis anos inertes. Não consegui admitir essa gratuidade, fiquei procurando uma razão para a queda, haveria de ter uma. Poucos dias depois, numa dessas coincidências que não se explica, estava lendo um livro do italiano Alessandro Baricco, chamado *Novecentos*, em que ele descrevia exatamente a mesma situação. "No silêncio mais absoluto, com tudo imóvel ao seu redor, nem sequer uma mosca se movendo, eles, *zas*. Não há uma causa. Por que precisamente neste instante? Não se sabe. *Zas*. O que ocorre a um prego para que decida que já não pode mais?".

Não há como desvendar esse mistério, assim é. Um belo dia a gente se olha no espelho e descobre que está velho. A gente acorda de manhã e descobre que não ama mais uma pessoa. Um avião passa no céu e a gente descobre que não pode ficar parado onde está nem mais um minuto. *Zas*. Nossos pregos já não nos seguram.

Costumamos chamar essa sensação de "cair a ficha", mas acho bem mais poético e avassalador a analogia com os quadros na parede. Cair a ficha é se dar conta. Deixar cair os quadros é um pouco mais que isso, é perder a resistência, é reconhecer que há algo que já não podemos suportar. Não precisa ser necessariamente uma carga negativa, pode ser uma carga positiva, mas que nos obriga a solicitar mais força dentro de nós.

Nascemos, ficamos em pé, crescemos e a partir daí começamos a sustentar nossas inquietações, nossos desejos inconfessos, algum sofrimento silencioso e a enormidade da nossa paciência. Nossos pregos são feitos de material maciço, mas nunca se sabe quanto peso eles podem aguentar. O quanto podemos conosco? Uma boa definição para felicidade: ser leve para si mesmo.

Sobre o livro que li: é um monólogo para teatro sobre um homem que um dia foi abandonado, ainda bebê, num navio, e ali ele cresce sem jamais desembarcar nos cais em que o navio atraca, passa a vida inteira sem colocar os pés em terra firme, tocando piano em alto-mar. Virou filme do Giuseppe Tornatore, chama-se *A lenda do pianista do mar*.

Sobre os meus quadros: foram recolocados na parede. Estão novamente fixos no mesmo lugar. Até que eles, ou eu, sejamos definitivamente vencidos pelo cansaço.

2002

O centro das atenções

Os cientistas estudam e pesquisam incansavelmente para obter vacinas contra o câncer, contra a Aids e tantas outras soluções que aplaquem as doenças que nos rondam. Enquanto isso, os psicanalistas tentam aliviar nossas dores da alma, nossos solavancos do coração. Mas como nem todos os que sofrem têm condições de pagar visitas ao divã, tentam sozinhos descobrir a cura para este mal que já afligiu, aflige ou ainda irá afligir 100% da população: a dor de cotovelo.

Como amor é assunto recorrente na minha trajetória, muitos acham que tenho a fórmula mágica para aniquilar os abalos provocados pela paixão. Tenho nada. Tenho são os meus palpites. E uma antena que capta frases, depoimentos, tudo o que possa ajudar. Um dia desses, uma leitora me escreveu um e-mail simpático, dizendo que havia lido ou escutado em algum lugar uma coisa que ela achava que fazia sentido: "O tempo não cura tudo. Aliás, o tempo não cura nada, o tempo apenas tira o incurável do centro das atenções".

Faz, sim, todo o sentido. Na hora da saudade, da tristeza, do desamparo, é com ele que contamos: o tempo. Queremos dormir e acordar dez anos depois curados daquela ideia fixa que se instalou no peito, aquela obsessão por alguém que já partiu de nossas vidas. No entanto, tudo o que nos invadiu com intensidade, tudo o que foi realmente verdadeiro e vivenciado profundamente, não passa. Fica. Acomoda-se dentro da gente e de vez em quando cutuca, se mexe, nos faz lembrar sua existência. O grande segredo é não se estressar com este inquilino incômodo, deixá-lo em paz no quartinho dos fundos e abrir espaço na casa para outros acontecimentos.

Nossas atenções precisam ser redirecionadas. Ficar olhando antigas fotos, relendo antigas cartas ou lembrando antigas cenas é tirar a dor do quarto dos fundos e trazê-la para o meio da sala. Evite. O tempo só será generoso à medida que você usá-lo para fazer coisas mais produtivas: procurar amigos sumidos, praticar um esporte, retomar um projeto adiado, viajar. As atenções têm que estar voltadas para os lados e para a frente. O quartinho dos fundos tem que ficar fechado uns tempos, a dor mantida em cativeiro, sem ser alimentada. Amores passados contentam-se com migalhas e sobrevivem muito: ajude-se, negando-lhe qualquer banquete. A fartura agora tem que ser de vida nova.

2002

A dor que dói mais

Trancar o dedo numa porta dói. Bater com o queixo no chão dói. Torcer o tornozelo dói. Um tapa, um soco, um pontapé, doem. Dói bater a cabeça na quina da mesa, dói morder a língua, dói cólica, cárie e pedra no rim. Mas o que mais dói é saudade.

Saudade de um irmão que mora longe. Saudade de uma cachoeira da infância. Saudade do gosto de uma fruta que não se encontra mais. Saudade do pai que já morreu. Saudade de um amigo imaginário que nunca existiu. Saudade de uma cidade. Saudade da gente mesmo, quando se tinha mais audácia e menos cabelos brancos. Doem essas saudades todas.

Mas a saudade mais dolorida é a saudade de quem se ama. Saudade da pele, do cheiro, dos beijos. Saudade da presença, e até da ausência consentida. Você podia ficar na sala e ele no quarto, sem se verem, mas sabiam-se lá. Você podia ir para o aeroporto e ele para o dentista, mas sabiam-se onde. Você podia ficar o dia sem vê-lo, ele o dia sem vê-la, mas sabiam-se amanhã. Mas quando o amor de um acaba, ao outro sobra uma saudade que ninguém sabe como deter.

Saudade é não saber. Não saber mais se ele continua se gripando no inverno. Não saber mais se ela continua clareando o cabelo. Não saber se ele ainda usa a camisa que você deu. Não saber se ela foi à consulta com o dermatologista como prometeu. Não saber se ele tem comido frango assado, se ela tem assistido às aulas de inglês, se ele aprendeu a lidar com tecnologia, se ela aprendeu a estacionar entre dois carros, se ele continua fumando Carlton, se ela continua preferindo Pepsi, se ele continua sorrindo, se ela continua dançando, se ele continua pescando, se ela continua te amando.

Saudade é não saber. Não saber o que fazer com os dias que ficaram mais compridos, não saber como encontrar tarefas que lhe cessem o pensamento, não saber como frear as lágrimas diante de uma música, não saber como vencer a dor de um silêncio que nada preenche.

Saudade é não querer saber. Não querer saber se ele está com outra, se ela está feliz, se ele está mais magro, se ela está mais bela. Saudade é nunca mais querer saber de quem se ama e, ainda assim, doer.

Julho de 1998

Dois minutos de ontem à noite

Então entramos juntos no bar e viste tua ex-namorada na mesa ao lado da porta, acompanhada de uma amiga, o que me deixou insegura. Então a garçonete anotou nossos pedidos, um cálice de vinho pra mim e água sem gás pra ti, porque estavas dirigindo, e fiquei feliz de não precisares de um trago naquele momento tenso. Então uma jovem artista subiu no minipalco e ali começou a cantar lindamente as canções mais românticas de Chico, Vinicius, Tom, e eu fiquei enciumada de teus pensamentos, imaginando que cada letra trazia uma lembrança do que você e sua ex, ambos dentro daquele bar, teriam vivido juntos. Então eu pedi o segundo cálice e fiquei mais calada do que o habitual e você pousou seu braço sobre meu ombro. Então, com a mão, você delicadamente virou meu rosto a fim de que ele ficasse de frente para o seu. E com essa mesma mão você separou uma mecha de cabelo que caía sobre os meus olhos, e nos encaramos demoradamente como se estivéssemos apenas nós dois naquele ambiente escuro, e foram esses dois minutos de ontem à noite que eu trouxe de volta pra casa e que me ajudaram a dormir em paz com a cabeça sobre o teu peito e com a minha perna entre as suas.

Então levantei antes de você no domingo de manhã, enquanto seu corpo nu permanecia de bruços sobre a minha cama. Então passei pelo seu celular que estava sobre a mesa do quarto e percebi que havia várias mensagens não lidas no seu WhatsApp. Então peguei água na cozinha e, de pés descalços, com o copo na mão, fui até o jardim, pisei sobre a grama úmida e olhei para o céu. Então recuei, sentei num banco da varanda e chorei enquanto lembrava todos os momentos em que não confiei no que estava vivendo e lamentei minha insistência em ser uma mulher premeditada, que antecipa o fim trágico de um amor recém-iniciado como forma de evitar ser surpreendida pela dor. Então esse pensamento foi interrompido pelas suas mãos quentes nas minhas costas e eu voltei para o quarto com você.

Então a semana começou e vieram todos os outros dias do ano. Então eu estive alternadamente com você e sem você em compromissos repetitivos, situações cotidianas, deslocamentos pela cidade, checagens de extratos, preocupações mundanas de quem tem uma existência bem administrada. Então você era aquele homem que eu via nos intervalos das minhas atribuições, aquele que interrompia o ritmo alucinante da minha trajetória executiva, aquele que me telefonava no meio da tarde para dizer qualquer bobagem a fim de escutar minha voz. A dor nunca veio. O fim nunca chegou. Pela primeira vez eu vivia a continuidade de um desejo tranquilo e eterno, que soube acalmar as palpitações endiabradas do meu cérebro, bastando para isso dois minutos, não mais que dois minutos de um olhar, de uma mão afastando a mecha do cabelo sobre o meu rosto, dois minutos de um beijo prolongado, os dois minutos que residem para sempre naquele ontem à noite.

ABRIL DE 2018

Me deixa quietinho aqui

É uma carta antiga, assinada não sei por quem (nem Shakespeare, nem Umberto Eco, nenhum sábio notório). Encontrei nos meus arquivos durante uma pesquisa arqueológica. Uma amiga me enviou numa época em que não dei muita atenção, mas, hoje, reli com prazer.

É a carta de um homem que faz um elogio à solidão e à vida de solteiro, denunciando o absurdo que é uma pessoa manter uma relação só para dizer ao mundo que tem alguém, quando esse alguém talvez não colabore em nada para seu bem-estar. Para a maioria das pessoas, entre a solidão e Satanás, bora convidar Satanás para um vinho, mas para o sujeito que redigiu a carta, a solidão é companhia suficiente. Até porque ele a compartilha com livros, com música, com um esporte, com viagens, com amigos e com ele próprio, com quem mantém uma relação quase perfeita.

O que eu mais curti na carta, que é longa, foi uma frase espirituosa: "Me deixa quietinho aqui com minha vida espetacular".

Reconheça: quem gosta de ficar consigo mesmo tem uma vida espetacular, a despeito de todos os seus problemas. A pessoa não está angustiada em ocupar, a qualquer custo, o espaço vago ao lado da cama. Não está se sentindo abandonada pela sorte, não está avaliando perfis e currículos, não está pensando nisso 24 horas por dia. Simplesmente está tocando sua vida sem stress, pois sabe que só vale a pena investir em relações que sejam melhores do que a sua solidão.

Não parece sensato?

O medo da solidão é o catalisador das pequenas besteiras que fazemos diariamente e de algumas enormes que reincidimos sem nem perceber. A solidão é vista como uma tragédia – é considerada pior do que estar com alguém que nos chateia e de quem não nos orgulhamos. Aturar passou a ser um verbo romântico.

Precisa tanto drama? Certamente há outras vidas espetaculares por aí, com quem vale a pena interagir e somar nossas solidões, sem eliminá-las. Sou partidária do 1 + 1, duas solidões se divertindo juntas. Pena que poucos avalizem essa matemática. A fórmula do sucesso ainda é o 2 em 1, uma solidão tentando destruir a outra, e ai de quem pedir dez minutos para si mesmo. Nada de ficar quietinho ali.

"Muita vida te aguarda/muita vida te procura." Versos do português Joaquim Pessoa, descoberta literária recente e bem-vinda. É isso. Acredito que a vida pode ser ainda mais espetacular caso haja o encontro verdadeiro de duas almas com afinidades suficientes, sem produzirem dependência e sem almejarem um êxtase de contos de fada. Acredito em se deixar encantar por alguém que não tenha a pretensão de substituir a boa companhia que sempre fizemos para nós mesmos. Pés contra pés embaixo das cobertas, mãos dadas no cinema, olho no olho. Lindamente, um amor que não rouba tua alma, não impede tua quietude, não embaça tua verdade, apenas torna tudo melhor do que já é.

Abril de 2018

A Amazônia e a distância

Quase todos sabem a diferença: Amazonas é um estado brasileiro, enquanto Amazônia denomina toda a floresta, cuja maior parte fica no Brasil, mas se estende por outros países também. É dessa Amazônia que falo hoje e talvez continue mais adiante, pois tudo é tão imenso por lá que não há como resumir num único texto.

    Passei três dias navegando pelo rio Negro, conhecendo comunidades indígenas e ribeirinhas. Em um pequeno barco, me embrenhei entre os igarapés como se tivesse licença para entrar num sonho que não era meu. Tocava as árvores com os dedos, desviava dos cipós, sentia o perfume das flores exóticas. Nadei ao lado de botos-cor-de-rosa. Fui ao encontro do Negro com o Solimões, que não se misturam, mantendo cada rio a sua cor, a sua temperatura, a sua densidade. Comi peixes e frutas que inauguraram em mim um novo paladar. Escutei histórias reais e também as lendas que a floresta inspira. Percebi na mata gradações de verde que as cartelas de tintas desconhecem. No escuro da noite, no meio do rio, observei uma sequência de estrelas cadentes num céu pontilhado de luzes – o motor do barco foi desligado, nos calamos e o silêncio absoluto se encarregou do êxtase. Achei que tinha viajado para os confins do meu país, mas não. Minha noção de distância se alterou. Nós, do Sul e Sudeste, é que estamos muito longe.

A Amazônia é um santuário, onde a natureza é fonte de tudo que importa: ar puro, alimento saudável, sobrevivência. Índios e caboclos dedicam-se a preservar seus valores e costumes, e extraem da água e do mato tudo de que necessitam para comer, se proteger e se divertir. Como nada é perfeito, muitos se sentem atraídos por esses aparelhinhos eletrônicos que levamos em mãos e que são considerados símbolos de modernidade, a ponto de alguns comprarem *smartphones* mesmo não havendo sinal onde vivem – usam para o básico. Menos mal. O básico basta.

Simplicidade e sofisticação. Emoções genuínas, beleza sem artifícios, poder sem empáfia. A Amazônia, com toda sua grandiosidade, é discreta. Não se impõe, existe. Ajuda o planeta a respirar. É mãe, acolhe. Terra de gente risonha, que reparte o que sabe e tem apego pelo que é natural. O sol cai, alaranjado. As águas caudalosas espelham a vegetação das margens. A samaúma, árvore colossal que atinge até 50 metros, está ali há quinhentos, seiscentos anos, e resistirá outras tantas centenas, alertando para o nosso tamanho: somos pequenos e passamos ligeiro pela vida. Deveríamos ser mais humildes e menos espalhafatosos. A Amazônia nos redimensiona, e faz isso com surpreendente afeto. É *jungle* para exploradores, não para os íntimos. Para quem ali vive, é uma casa, um lar estendido ao infinito, onde o céu e a terra se encontram.

Deslocados estamos nós, os ansiosos, os aflitos das selvas urbanas. Sem desmerecer as cidades que nos fazem felizes a seu modo, passei a entender que somos uma maioria de estrangeiros dentro do próprio país, vivendo longe da essência primária. Os confins são aqui.

AGOSTO DE 2018

Um Deus que sorri

Eu acredito em Deus. Mas não sei se o Deus em que eu acredito é o mesmo Deus em que acredita o balconista, a professora, o porteiro. O Deus em que acredito não foi globalizado.

O Deus com quem converso não é uma pessoa, não é pai de ninguém. É uma ideia, uma energia, uma eminência. Não tem rosto, portanto não tem barba. Não caminha, portanto não carrega um cajado. Não está cansado, portanto não tem trono.

O Deus que me acompanha não é bíblico. Jamais se deixaria resumir por dez mandamentos, algumas parábolas e um pensamento que não se renova. O meu Deus é tão superior quanto o Deus dos outros, mas sua superioridade está na compreensão das diferenças, na aceitação das fraquezas e no estímulo à felicidade.

O Deus em que acredito me ensina a guerrear conforme as armas que tenho e detecta em mim a honestidade dos atos. Não distribui culpas a granel: as minhas são umas, as do vizinho são outras, e nossa penitência é a reflexão. Ave-maria, Pai-nosso, isso qualquer um decora sem saber o que está dizendo. Para o Deus em que acredito, só vale o que se está sentindo.

O Deus em que acredito não condena o prazer. Se ele não tem controle sobre enchentes, guerrilhas e violência, se não tem controle sobre traficantes, corruptos e vigaristas, se não tem controle sobre a miséria, o câncer e as mágoas, então que Deus seria ele se ainda por cima condenasse o que nos resta: o lúdico, o sensorial, a libido que nasce com toda criança e se desenvolve livre, se assim o permitirem?

O Deus em que acredito não é tão bonzinho: me castiga e me deixa uns tempos sozinha. Não me abandona, mas me exige mais do que uma visita à igreja, uma flexão de joelhos e uma doação aos pobres: cobra caro pelos meus erros e não aceita promessas performáticas, como carregar uma cruz gigante nos ombros. A cruz pesa onde tem que pesar: dentro. É onde tudo acontece e tudo se resolve.

Este é o Deus que me acompanha. Um Deus simples. Deus que é Deus não precisa ser difícil e distante, sabe-tudo e vê-tudo. Meu Deus é discreto e otimista. Não se esconde, ao contrário, aparece principalmente nas horas boas a fim de me incentivar, de me fazer sentir o quanto vale um pequeno momento grandioso: um abraço numa amiga, uma música na hora certa, um silêncio. É onipresente, mas não onipotente. Meu Deus é humilde. Não posso imaginar um Deus repressor e um Deus que não sorri. Quem não te sorri não é cúmplice.

Julho de 2001

Amor e perseguição

"*As pessoas ficam procurando o amor como solução para todos os seus problemas quando, na realidade, o amor é a recompensa por você ter resolvido os seus problemas.*" Norman Mailer. Copiem. Decorem. Aprendam.

Temos a mania de achar que amor é algo que se busca. Buscamos o amor nos bares, buscamos o amor na internet, buscamos o amor na parada de ônibus. Como num jogo de esconde-esconde, procuramos pelo amor que está oculto dentro das boates, nas salas de aula, nas plateias dos teatros. Ele certamente está por ali, você quase pode sentir o seu cheiro, precisa apenas descobri-lo e agarrá-lo o mais rápido possível, pois, conforme se diz por aí, só o amor constrói, só o amor salva, só o amor traz felicidade.

"*As pessoas ficam procurando o amor como solução para todos os seus problemas quando, na realidade, o amor é a recompensa por você ter resolvido os seus problemas.*" Norman Mailer. Entendam. Aceitem. Pratiquem.

Amor não é medicamento. Se você está deprimido, histérico ou ansioso demais, o amor não se aproximará, e, caso o faça, vai frustrar sua expectativa, porque o amor quer ser recebido com saúde e leveza, ele não suporta a ideia de ser ingerido de quatro em quatro horas, como um antibiótico para combater as bactérias da solidão e da falta de autoestima. Você já ouviu muitas vezes alguém dizer: "Quando eu menos esperava, quando eu havia desistido de procurar, o amor apareceu". Claro, o amor não é bobo, quer ser bem tratado, por isso escolhe as pessoas que, antes de tudo, tratam bem de si mesmas.

"*As pessoas ficam procurando o amor como solução para todos os seus problemas quando, na realidade, o amor é a recompensa por você ter resolvido os seus problemas.*" Norman Mailer. Divulguem. Repitam. Convençam-se.

O amor, ao contrário do que se pensa, não tem que vir antes de tudo: antes de estabilizar a carreira profissional, antes de viajar pelo mundo, de curtir a vida. Ele não é uma garantia de que, a partir do seu surgimento, tudo o mais dará certo. Queremos o amor como pré-requisito para o sucesso nos outros setores, quando, na verdade, o amor espera primeiro você ser feliz para só então surgir diante de você sem máscara e sem fantasia. É esta a condição. É pegar ou largar.

Para quem acha que isso é chantagem, arrisco sair em defesa do amor: ser feliz é uma exigência razoável e não é tarefa tão complicada. Felizes são aqueles que aprendem a administrar seus conflitos, que aceitam suas oscilações de humor, que dão o melhor de si e não se autoflagelam por causa dos erros que cometem. Felicidade é serenidade. Não tem nada a ver com piscinas, carros e muito menos com príncipes encantados. O amor é o prêmio para quem relaxa.

Julho de 2001

Acordo de união instável

Eu me comprometo a estar ao seu lado enquanto for agradável, divertido, estimulante, e também nos momentos em que for chato (mas não insuportável), nos momentos desanimados (mas não sem vida), nos momentos que exigirem paciência (mas não sacrifício). Quando chegarmos ao insuportável e sacrificante, eu vou embora, ou vai você – sai primeiro aquele que estiver mais perto da porta.

Eu me comprometo a estar com você sempre que der vontade, e não estar com você sempre que der vontade de estar com amigos com quem tenho gargalhadas privadas a trocar, ou quando eu precisar ficar sozinha, pois estar consigo mesma também é uma relação a ser preservada, e em troca, é óbvio: você terá todo o tempo do mundo para o seu mundo.

Eu me comprometo a amar você porque você é gentil, surpreendente, diferente, carinhoso, lindo, sem noção, pontual e tem olhos verdes, e espero que você repare que sou livre, intuitiva, durona, generosa, divertida, pontual e tenho olhos castanhos, e que nada disso garante coisa nenhuma, apenas intensifica o frio na barriga. Entrar no universo do outro é sempre uma viagem excitante.

Eu me comprometo a ter água gelada e bananas, você prometa ter vinho branco e morangos. Eu juro que vou desligar a tevê quando você chegar, você promete acender a lareira quando eu aparecer, eu vou esticar os lençóis antes de a gente deitar, você vai amarfanhar meus lençóis antes de ir embora, e isso tudo vai ser simplesmente bom.

Eu me comprometo a dizer a verdade sobre coisas que você não quer saber, mas vai perguntar: a vida amorosa antes de você aparecer, o que fiz e desfiz, a normalidade da minha adolescência (compensada por algumas bizarrices da maturidade), tudo isso entrará no espólio da nossa relação, e eu, a contragosto, escutarei sobre todas as embrulhadas com sua ex, os sofrimentos causados por aquela que se mandou e acreditarei que sou a salvação da sua lavoura, até que a próxima me desbanque. Você sabe que paixão rima com ilusão, então me iluda e eu te iludo, até que tudo se transforme na verdade mais absoluta.

Não sei se irei gostar tanto assim dos seus primos, que você considera tão hilários, e eu não sei se você gostará tanto assim das minhas amigas, que eu considero tão extraordinárias, mas vamos confiar na nossa capacidade de fingir com toda honestidade.

E agora a razão primordial deste contrato. Se eu sumir, você fica com nossas lembranças, nossas selfies e nossas escovas de dente: proibido compartilhar. Se você desaparecer, eu fico com nossos panos sobre os sofás, nossos cachorros e nossas histórias: que, por dever de ofício, talvez eu compartilhe, mas com discrição.

E que toda essa deliciosa loucura dure para sempre até o sol raiar.

Setembro de 2017

Amores inocentes

Do primeiro, não lembro o nome. Era mais baixo que eu, mais moço que eu, e loiro. Usava uma camiseta listrada e um short. Nosso amor durou eternos dez minutos. Eu estava brincando sozinha no pátio interno do edifício, a empregada me cuidando da janela do primeiro andar. Ele se aproximou e disse que tinha uma lesma nojenta na parede do prédio, perguntou se eu queria ver, eu não queria, mas ele estava falando comigo pela primeira vez e eu aceitaria ir até o fim do mundo com ele. Fomos. Era uma parede lateral, escondida, meu coração começou a bater. Chegando lá, não tinha lesma, não tinha ninguém. Acho que ela foi embora, ele disse, e eu nem estranhei a ligeireza da lesma, não pensava em mais nada, apenas que ele havia me levado para um lugar em que ninguém podia nos ver. Ali ficamos. Eu encostada contra a parede. Ele encostado contra a parede também, ao meu lado. Os braços encostando um no outro. Acho que não foram dez minutos, foram menos, mas aquela tarde nunca acabou.

Do segundo, lembro que era mais alto que eu, mais velho que eu, e não esqueci o nome. Nossos pais eram amigos e nos levaram para a praia. Eu estava saindo do mar, ele entrando. Ele passou por mim, mas não foi para o fundo. Eu saí do mar, mas sentei na areia. Ele deu um mergulho, voltou e perguntou se eu conhecia uma música. Eu estava de maiô vermelho, ele de calção verde-musgo. Eu conhecia a música. Era minha música preferida, uma música em inglês que eu não entendia nem uma palavra. "Sabe o que significa o título?", ele perguntou? Eu achava que sabia, mas disse que não. Eu nunca havia conversado com um menino desconhecido. Estava nublado, mas nem parecia.

Do terceiro, lembro que eu tinha mais de 10, quase mocinha. Ele bem mais velho, uns 12. Me tirou pra dançar numa reunião dançante, eu de blusa preta e saia amarela, ele de camisa branca bem passada. Eu coloquei meus braços sobre o ombro dele, ele colocou os dele na minha cintura. Tocava um Barry White que começava lento, mas no meio a música ficava animada. Mesmo assim, ele não tirou a mão da minha cintura. Os outros casais dançavam separados, mas ele me abraçou um pouquinho mais. Eu rocei com minha mão num cacho dele. Que vergonha, eu pensei. Está todo mundo olhando. Abaixei a cabeça e sorri. Como estou sorrindo agora, recordando.

Depois a gente cresce e o amor apresenta sua lista de exigências. Adequações. Palavras certas. Compatibilidade. Discussão de relação. Salários. Planos. Ciúmes. Projeções. Contrato de união estável. Filhos. Bodas. Traumas. Expectativas. O meu ex, a sua. Terapia. Amantes. Lágrimas. Dor. Volta pra mim. Vai embora. Pensão. Cansaço. Destino.

Queria reencontrar o garoto que encostou o braço dele no meu quando fomos atrás de uma lesma que não existia. Dizer ao garoto da praia que eu gosto daquela música até hoje. Acarinhar a atual calvície do garoto dos cachos. E segurar a mim mesma pela cintura, me conduzindo de volta àquela inocência, àquele encantamento e àquele desejo que bastavam.

Junho de 2018

Ou você amadurece, ou se falsifica

Você acorda, vai ao banheiro, se olha no espelho, faz a barba ou pinta o olho, e inicia mais um dia da sua vida, mas é sua vida mesmo, ou você interpreta um personagem? Você amadureceu pra valer ou virou uma cópia falsificada de um adulto? Tenho visto alguns humanos adulterados por aí, "gente grande" *made in* Paraguai.

Éramos crianças inocentes e protegidas, até que os anos passaram. A adolescência nada mais é do que você percorrendo, sozinho, um amplo deserto e enxergando, ao longe, aquela poeirinha no horizonte que, nos filmes de aventura, indicam uma cavalaria armada ou uma tribo de peles-vermelhas se aproximando, qualquer coisa que pareça ameaçadora na imaginação e que assustará ainda mais quando chegar perto – e você não tem nem um reles pangaré pra montar e escapar desse ataque iminente. Sabe que terá que ser muito homem – ou muito mulher – pra enfrentar.

Aquela poeirinha vai se agigantar na sua frente. E então você verá que não são malfeitores com rifles em punho, nem os índios estereotipados dos faroestes. São escolhas a fazer, relações amorosas, dúvidas e dívidas, filhos pra educar, a finitude pra lidar e posicionamentos exigidos pela sociedade: a maldita esquadra da maturidade, que não está afim de negociar com seu amadorismo.

E agora?

Quem encara, paga um preço alto. Não tem o recurso de se amparar nas costas de papai e mamãe, não tem a hipótese de transferir as decisões para o dia de São Nunca. Com a coragem que nem sabia que tinha, você assume sua identidade, dá um trato nos seus medos e começa a trajetória: trabalha, ama, sofre, se expõe, se impõe, fala, cala, sofre, destrói, constrói. Mas constrói mesmo. Uma vida legítima. Uma vida sua.

Ou.

Ou se escora. Na mãe velhinha, no pai doente, no parceiro com quem está casado há 42 anos, na namorada rica que virou a salvação da lavoura, se escora na chapação, no álcool, nos medicamentos tarja preta, numa idealização fraudulenta ("sou ótimo, pena que o mundo não reconheceu meu brilhantismo"), se escora na muleta que estiver mais à mão e distribui sorrisos sedutores e desculpas esfarrapadas: sou uma farsa, mas uma farsa de terno e gravata, uma farsa em vestido de baile.

Falsificam-se a si mesmos os que não têm brio. Os que dependem de mil e quinhentos empurrões, e mesmo empurrados não ganham velocidade, ritmo, rumo. Ficam sempre no meio do trajeto, soluçando, reclamando, retrocedendo à memória das longas tardes no jardim de infância, quando, em segurança, sabiam que seus pais estariam esperando, no final do dia, no portão.

Na maturidade, não tem ninguém esperando no portão pra nos levar pra casa, mas tem uma caminhada excitante rumo a um prazer que só quem se arrisca, conhece. O prazer da independência. O prazer de ter a sua assinatura avalizando cada uma de suas conquistas.

Já quem se falsificou num adulto que parece que é, mas não é, desperdiçou a chance de ter uma vida autêntica porque se assustou com a poeira no horizonte, previu que seria uma luta perdida, que não daria conta. Mas daria. O gigante, em qualquer circunstância, somos nós.

Janeiro de 2018

Avec élégance

Hoje a maioria das pessoas que têm acesso à informação conhece as regras do bom gosto. Há muitos especialistas em ajudar os outros a não cometerem gafes na hora de se vestir ou de se portar à mesa. Mas existe uma coisa difícil de ser ensinada e que, talvez por isso, esteja cada vez mais rara: a elegância do comportamento.

É um dom que vai muito além do uso correto dos talheres e que abrange bem mais do que dizer um simples obrigado diante de uma gentileza. É a elegância que nos acompanha da primeira hora da manhã até a hora de dormir e que se manifesta nas situações mais prosaicas, quando não há festa alguma nem fotógrafos por perto. É uma elegância desobrigada.

É possível detectá-la nas pessoas que elogiam mais do que criticam. Nas pessoas que escutam mais do que falam. E quando falam, passam longe da fofoca, das pequenas maldades ampliadas no boca a boca.

É possível detectá-la nas pessoas que não usam um tom superior de voz ao se dirigir a empregadas domésticas, garçons ou frentistas. Nas pessoas que evitam assuntos constrangedores porque não sentem prazer em humilhar os outros. É possível detectá-la em pessoas pontuais.

Elegante é quem demonstra interesse por assuntos que desconhece, é quem dá um presente sem data de aniversário por perto, é quem cumpre o que promete e, ao receber uma ligação, não recomenda à secretária que pergunte antes quem está falando e só depois manda dizer se está ou não está.

Oferecer flores é sempre elegante. É elegante não ficar espaçoso demais. É elegante não mudar seu estilo apenas para se adaptar ao de outro. É muito elegante não falar de dinheiro em bate-papos informais. É elegante retribuir carinho e solidariedade.

Sobrenome, joias e nariz empinado não substituem a elegância do gesto. Não há livro que ensine alguém a ter uma visão generosa do mundo, a estar nele de uma forma não arrogante. Pode-se tentar capturar essa delicadeza natural através da observação e então desenvolver em si mesmo a arte de conviver, que independe de status social: é só pedir licencinha para o nosso lado brucutu, que acha que "com amigo não tem que ter essas frescuras". Se os amigos não merecem sua cordialidade, quem irá desfrutá-la, os inimigos? Educação enferruja por falta de uso. E, detalhe: não é frescura.

Janeiro de 2001

Mulher de um homem só

Ela é como o urso panda, está quase extinta do planeta. Quando alguém escuta ela dizendo "sou mulher de um homem só", corre para o celular mais próximo e chama a imprensa para documentar. Quem é, afinal, essa mulher tão rara?

A mulher de um homem só casou virgem com um escritor que detesta badalação. A última festa em que ele compareceu foi a do seu próprio casamento, a contragosto. Ele só gosta de música barroca, uísque sem gelo e poesia cubana. Não quis ter filhos. É um homem terrivelmente só que se casou apenas para que alguém cozinhasse para ele, pois odeia restaurantes.

A mulher do homem só tenta animá-lo. Convida-o para subir a serra e comer um fondue. O homem faz que não com a cabeça. A mulher convida para ir a uma feira de antiguidades. Ele dá um sorriso sarcástico. Ela convida para ir na Casa Cor. Ele tem espasmos. Ela convida para um teatro. Ele pega no sono antes que ela diga o nome da peça.

O homem só gosta de ficar em casa escrevendo. Não vai ao cinema, nem a parques, nem a bares. Não visita ninguém. Não votou na última eleição. Não comparece às reuniões de condomínio. Tem alergia a gente.

A mulher do homem só bem que tentou festejar os 50 anos dele. Convidou os poucos conhecidos do marido: um irmão, o editor e a segunda mulher deste. Comprou cerveja, providenciou uns discos de Paulinho da Viola e de Baden Powell e colocou flores nos vasos. Os convidados chegaram e se foram sem ouvir a voz do homem só. Ele apenas resmungou um obrigado quando recebeu um livro do editor e disse qualquer coisa inaudível ao ganhar meias do irmão. Passou calado a noite inteira. Quando pediu licença para ir ao banheiro, não voltou mais.

A primeira vez que a mulher do homem só disse "sou mulher de um homem só" foi para um motorista de táxi, que ficou muito impressionado. Ela era jovem e bonita, porém tinha uma tristeza comovente no olhar. Era a última corrida dele e, impulsivamente, convidou-a para uma caipirinha. Ela aceitou e, pela primeira vez em muitos anos, teve uma noite animada.

A segunda vez que ela disse "sou mulher de um homem só" foi para o vizinho do sexto andar. Estavam sozinhos no elevador e ele fingiu não ouvir. Nunca haviam trocado nem um bom dia, quanto mais uma confidência. Mas ela repetiu: "sou mulher de um homem só". Dessa vez falou de um jeito tão carente que ele se viu obrigado a tomar uma providência. O sexto andar acabou malfalado no prédio.

A mulher do homem só, então, passou a ter a agenda cheia: o professor de computação, o gerente do banco, o dono do posto de gasolina, até o recenseador andou lhe servindo de companhia. Vivia para cima e para baixo com seus novos amigos: cinema, shoppings, vernissages. Não corria o risco de encontrar o marido em nenhum desses lugares. Começou a usar decotes, maquiagem e ria alto. Nunca se sentira tão feliz. Surgia cada dia com um parceiro diferente nas festas, nas inaugurações de lojas, nos passeios pelo mercado público. Ganhou má fama. E quanto mais o povo falava, mais ela desdenhava. Ninguém faz a mínima ideia do que é ser mulher de um homem só.

AGOSTO DE 1997

Nossos velhos

Pais heróis e mães rainhas do lar. Passamos boa parte da nossa existência cultivando esses estereótipos. Até que um dia o pai herói começa a passar o tempo todo sentado, resmunga baixinho e puxa uns assuntos sem pé nem cabeça. A rainha do lar começa a ter dificuldade de concluir as frases e dá pra implicar com a empregada. O que papai e mamãe fizeram para caducar de uma hora para outra? Fizeram 80 anos.

Nossos pais envelhecem. Ninguém havia nos preparado pra isso. Um belo dia eles perdem o garbo, ficam mais vulneráveis e adquirem umas manias bobas. Estão cansados de cuidar dos outros e de servir de exemplo: agora chegou a vez de eles serem cuidados e mimados por nós, nem que pra isso recorram a uma chantagenzinha emocional. Têm muita quilometragem rodada e sabem tudo, e o que não sabem eles inventam. Não fazem mais planos a longo prazo, agora dedicam-se a pequenas aventuras, como comer escondido tudo o que o médico proibiu. Estão com manchas na pele. Ficam tristes de repente. Mas não estão caducos: caducos ficam os filhos, que relutam em aceitar o ciclo da vida.

É complicado aceitar que nossos heróis e rainhas já não estão no controle da situação. Estão frágeis e um pouco esquecidos, têm esse direito, mas seguimos exigindo deles a energia de uma usina. Não admitimos suas fraquezas, seu desânimo. Ficamos irritados se eles se atrapalham com o celular e ainda temos a cara de pau de corrigi-los quando usam expressões em desuso: calça de brim? frege? auto de praça? Em vez de aceitarmos com serenidade o fato de que as pessoas adotam um ritmo mais lento com o passar dos anos, simplesmente ficamos irritados por eles terem traído nossa confiança, a confiança de que seriam indestrutíveis como os super-heróis. Provocamos discussões inúteis e os enervamos com nossa insistência para que tudo siga como sempre foi. Essa nossa intolerância só pode ser medo. Medo de perdê-los, e medo de perdermos a nós mesmos, medo de também deixarmos de ser lúcidos e joviais.

É uma enrascada essa tal de passagem do tempo. Nos ensinam a tirar proveito de cada etapa da vida, mas é difícil aceitar as etapas dos outros, ainda mais quando os outros são papai e mamãe, nossos alicerces, aqueles para quem sempre podíamos voltar, e que agora estão dando sinais de que um dia irão partir sem nós.

2002

O homem de roupão

O homem é um arraso. Alto, bonito, meio enigmático. Conversa de modo pausado e olhando nos olhos, e que olhos, Santa Luzia. Não faz cinco minutos que você conheceu a peça e já está pensando na simpatia que vai fazer em casa para que esse executivo abençoado e solteiro entre na sua. Talvez aquela que manda juntar três pétalas de rosa vermelha, três pelos do peito dele, uma teia de aranha, quatro gotas de curaçau blue e uma meleca do nariz do seu ex-namorado e colocar tudo dentro de um copo que deve ser depositado na janela da cozinha numa noite de lua cheia. Um grau de dificuldade razoável para conquistar uma joia de tamanho quilate. Mas parece que não vai ser preciso. Escute: ele está convidando você para jantar.

No restaurante, foi educado, divertido e não permitiu que você rachasse a conta com ele. Abriu a porta do carro para você entrar. É agora. Você vai ou não vai conhecer o apartamento do executivo abençoado e solteiro? Você já está lá.

Tudo muito bonito. Muito bem decorado. Mas estranhamente asséptico para um homem que mora sozinho. As plantas estão todas vivas e serelepes. Os vidros imaculados. Tapetes penteados todos para o mesmo lado. E o quarto? Livros com autores em ordem alfabética. Nenhum sapato embaixo da cama. Nem sinal de ácaros. Você aproveita que ele não está por perto e abre o guarda-roupa. Tudo separado por cores, em degradê. É o Imeldo Marcos dos sapatos, pares em profusão, mas nenhum tênis. Ternos Ermenegildo Zegna e as gravatas guardadas em gavetas etiquetadas com nomes de países: Inglaterra, França, Japão. Só de gravatas italianas deu pra contar cinco gavetas. Você fecha tudo com cuidado e se pergunta: onde esse homem se enfiou?

No banheiro. Tomando um longo banho. Pelo visto, não está com pressa. Quarenta e cinco minutos depois, ele reaparece de roupão branco com o brasão da família bordado. Cuidadosamente penteado. Hidratado. Perfumado. Como você vai fazer sexo com esse cara sem desmanchá-lo?

Na hora do bem-bom, tudo bem mais ou menos. Primeiro, um papai e mamãe. Depois, papai e mamãe. E por último, papai e mamãe. Você se sente casada com ele há 46 anos. De repente, uma esperança: ele chama você para a banheira. É agora que vai começar a selvageria. Ele joga você dentro d'água. Alcança três toalhas. E bate a porta, rumo a outro banheiro, pois prefere uma chuveirada.

Quando você volta para o quarto, os lençóis já foram trocados, a janela foi aberta para arejar o ambiente e toca *As quatro estações* de Vivaldi. Ele, dentes escovados, hálito puro, convida você a se retirar. Você sai e ainda dá tempo de vê-lo limpando suas impressões digitais do trinco da porta. Você que já havia enfrentado todo tipo de depravado, jamais imaginou que um dia seria vítima de um maníaco por si mesmo.

Junho de 2001

Querer mesmo

O navegador Amyr Klink, ao ser perguntado por um repórter sobre o que sentia a respeito de pessoas que passam trinta anos trabalhando no mesmo escritório, sentadas a vida inteira diante da mesma escrivaninha, respondeu: "Inveja". Klink admira quem consegue ser feliz num cotidiano imutável. Como ele não consegue, sai pelo mundo em busca de desafios.

Foi uma resposta provocativa, imagino. Inveja é justamente o que nós, mais acomodados, sentimos de Amyr Klink quando o vemos excursionar por cenários glaciais de tirar o fôlego e transformar a superação de seus medos em rotina. Qual o segredo desse homem, afinal, para conseguir conciliar família e aventura? A gente também adoraria essa vida, mas acreditamos que a diferença entre ele e nós é que ele tem patrocínio para sua falta de juízo, enquanto nós temos juízo de sobra e dinheiro contadinho no final do mês.

Essa nossa resignação é conveniente, já que realizar sonhos dá muito trabalho. A verdade é que a única diferença entre ser um navegador e ser um profissional-liberal--que-sonha-em-ser-um-navegador é que um quis mesmo. O outro não quis tanto assim.

Para romper convenções e arriscar-se no desconhecido, é preciso querer mesmo. Querer mesmo escalar uma montanha, querer mesmo surfar uma onda gigante, querer mesmo filmar um documentário na África, querer mesmo ser correspondente de guerra, querer mesmo trabalhar na Nasa, só para citar outras aventuras supostamente inatingíveis. Querer mesmo, em vez de apenas querer, abre a cancela de qualquer fronteira, seja ela geográfica ou emocional.

Antes de alcançar os pontos mais indevassáveis da Antártida a bordo de barcos equipados com alta tecnologia, Klink remou bastante, não ficou em casa mentalizando seu sonho. Querer mesmo significa abrir mão de uma série de confortos, tomar muito chá de banco, ver inúmeras ideias darem errado antes de darem certo. E, em troca, ser chamado de doido varrido.

Querer, a gente quer muita coisa. Mas quase sempre é um querer preguiçoso, um querer que não nos impulsiona a levantar da cadeira, ainda mais quando nosso projeto tem 0,5% de chance de sucesso. É difícil conseguir o que se quer. Só se torna menos difícil quando se quer mesmo. Pena que alguns só querem mesmo é ser rico, para isso fazendo coisas muito mais insanas do que faz Amyr Klink. O que todos nós deveríamos querer, mas querer mesmo, é fugir da mediocridade e enriquecer nossa própria experiência de vida.

2003

O papel higiênico da empregada

Quando eu era criança, criancinha mesmo, achava que todo mundo era do bem. Até que comecei a crescer e descobri que nem tanto assim. Lembro que, ainda menina, foi um choque quando descobri que as pessoas mentiam, enganavam, eram agressivas. Não estou falando de bandidos da tevê, e sim de garotas da minha aula, vizinhos, gente conhecida. Eu ficava confusa. Fulana era generosa com as amigas e, ao mesmo tempo, estúpida com a própria mãe. Beltrana ia à missa todo domingo e nos outros dias remexia na mochila dos colegas para roubar material escolar. Sicrana era minha amigona na quarta-feira e na quinta me virava o rosto, por nada. Eu chegava em casa, pedia explicações pra família e recebia como resposta: bem-vinda ao planeta Terra.

Eu queria o impossível: olhar para uma pessoa e saber o que poderia esperar dela. Seria do bem? Do mal? Viria a me decepcionar? Todas as pessoas decepcionam uma vez a outra, todas cometem erros, mas eu queria encontrar alguma espécie de comportamento-padrão que me desse uma pista segura sobre com quem eu estava lidando. Até que, certo dia, fui à casa de uma colega para estudar. De repente, precisei ir ao banheiro. Só havia um no apartamento, e ocupado. Eu estava apertada. Apertadíssima. Minha amiga sugeriu que eu usasse o banheiro da empregada, topei na hora. E lá descobri que o papel higiênico da empregada era diferente do papel usado pelos outros membros da família. Era mais áspero. Parecia uma lixa. Muito mais barato.

Era um costume, e talvez seja até hoje: comprar um tipo de papel higiênico para a família e outro, de pior qualidade, para o banheiro de serviço. Eis ali a pista que eu inocentemente buscava para descobrir a índole das pessoas.

Hoje, adulta, sei que descobrir a índole de alguém é um processo muito mais complexo, mas ainda me surpreendo que algumas pessoas façam certas diferenciações. O relacionamento entre empregados e patrões ainda é uma maneira de perceber como certos preconceitos seguem bem firmes. Não é por economia que se compra papel higiênico mais barato para a empregada, por mais que seja este o argumento usado por quem o faz. É para segmentar as castas. É para manter a hierarquia. É pela manutenção do poder.

As pessoas querem tanto acabar com as injustiças sociais, e às vezes não conseguem mudar pequenas regras dentro da sua própria casa. Cada um de nós tem um potencial revolucionário que pode se manifestar por meio de pequenos gestos. Comprar o mesmo papel higiênico para todos, quem diria, também é uma maneira de lutar por um mundo melhor.

Setembro de 2005

Povoar a solidão

A sua é de que tamanho? Difícil encontrar alguém que tenha uma solidão pequena, ajustada, do tipo baby look. Geralmente a solidão é larga, esgarçada, como uma camiseta que poderia vestir outros corpos além do nosso. E costuma ser com outros corpos que se tenta combatê-la, mas combatê-la por quê?

Se nossa solidão pudesse ser visualizada, ela seria um vasto campo abandonado, um estádio de futebol numa segunda-feira de manhã. Dói, mas tem poesia. Talvez seja por aí que devamos reavaliá-la: no reconhecimento do que há de belo na sua amplitude.

A solidão não precisa ser aniquilada, ela só precisa de um sentido. Eu não saberia dizer que outra coisa mais benéfica para isso do que livros. Uma biblioteca com mil volumes é um exército que não combate a solidão, mas a ela se alia.

A solidão costuma ser tratada como algo deslocado da realidade, como um tumor que invade um órgão vital. Ah, se todos os tumores pudessem ser curados com amigos. Uma pessoa que não fez amigos não teve pela sua vida nenhum respeito. Nossa solidão é nossa casa e necessita abrir horários de visita, hospedar, convidar para o almoço, cozinhar com afeto, revelar-se uma solidão anfitriã, que gosta de ouvir as histórias das solidões dos outros, já que todos possuem seus descampados.

A solidão não precisa se valer apenas do monólogo. Pode aprender a dialogar, e deve exercitar isso também através da arte. Há sempre uma conversa silenciosa entre o ator no palco e o sujeito no escuro da plateia, entre o pintor em seu ateliê e o visitante do museu, entre o escritor e o seu leitor desconhecido. Ah, os livros, de novo. De todos os que preenchem nossa solidão, são os livros os mais anárquicos, os mais instigantes. Leia, e seu silêncio ganhará voz.

Às vezes tratamos nosso isolamento com certa afetação. Acendemos um cigarro na penumbra da sala, botamos um disco dilacerante e aguardamos pelas lágrimas. Já fizemos essa cena num final de domingo – tem dia mais solitário? É comum que a gente entre na fantasia de que nossa solidão daria um filme *noir*, mas sem esquecer que ela continuará conosco amanhã e depois de amanhã, deixando de ser charmosa e nos acompanhando até o supermercado. Suporte-a com bom humor ou com mau humor, mas não a despreze.

Permita que sua solidão seja bem aproveitada, que ela não seja inútil. Não a cultive como uma doença, e sim como uma circunstância. Em vez de tentar expulsá-la, habite-a com espiritualidade, estética, memória, inspiração, percepções. Não será menos solidão, apenas uma solidão mais povoada. Quem não sabe povoar sua solidão, também não saberá ficar sozinho em meio a uma multidão, escreveu Baudelaire.

Ah, os livros, outra vez.

Novembro de 2007

Todo o resto

"Existe o certo, o errado e todo o resto." Esta é uma frase dita pelo ator Daniel Oliveira representando o cantor Cazuza, em conversa com o pai, numa cena que, a meu ver, resume o espírito do filme que esteve em cartaz até há pouco tempo. Aliás, resume a vida.

Certo e errado são convenções que se confirmam com meia dúzia de atitudes. Certo é ser gentil, respeitar os mais velhos, seguir uma dieta balanceada, dormir oito horas por dia, lembrar os aniversários, trabalhar, estudar, casar e ter filhos, certo é morrer bem velho e com o dever cumprido. Errado é dar calote, repetir o ano, beber demais, fumar, se drogar, não programar um futuro decente, dar saltos sem rede. Todo mundo de acordo?

Todo mundo teoricamente de acordo, porém a vida não é feita de teorias. E o resto? E tudo aquilo que a gente mal consegue verbalizar, de tão intenso? Desejos, impulsos, fantasias, emoções. Ora, meia dúzia de normas preestabelecidas não dão conta do recado. Impossível enquadrar o que lateja, o que arde, o que grita dentro de nós.

Somos maduros e ao mesmo tempo infantis, por trás do nosso autocontrole há um desespero infernal. Possuímos uma criatividade insuspeita: inventamos músicas, amores e problemas, e somos curiosos, queremos espiar pelo buraco da fechadura do mundo para descobrir o que não nos contaram. Todo o resto.

O amor é certo, o ódio é errado e o resto é uma montanha de outros sentimentos, uma solidão gigantesca, muita confusão, desassossego, saudades cortantes, necessidade de afeto e urgências sexuais que não se adaptam às regras do bom comportamento. Há bilhetes guardados no fundo das gavetas que contariam outra versão da nossa história, caso viessem a público.

Todo o resto é o que nos assombra: as escolhas não feitas, os beijos não dados, as decisões não tomadas, os mandamentos a que não obedecemos, ou a que obedecemos bem demais – a troco de que fomos tão bonzinhos?

Há o certo, o errado e aquilo que nos dá medo, que nos atrai, que nos sufoca, que nos entorpece. O certo é ser magro, bonito, rico e educado, o errado é ser gordo, feio, pobre e analfabeto, e o resto nada tem a ver com esses reducionismos: é nossa fome por ideias novas, é nosso rosto que se transforma com o tempo, são nossas cicatrizes de estimação, nossos erros e desilusões.

Todo o resto é muito mais vasto. É nossa porra-louquice, nossa ausência de certezas, nossos silêncios inquisidores, a pureza e a inocência que se mantêm vivas dentro de nós, mas que ninguém percebe, só porque crescemos. A maturidade é um álibi frágil. Seguimos com uma alma de criança que finge saber direitinho tudo o que deve ser feito, mas que no fundo entende muito pouco sobre as engrenagens do mundo. Todo o resto é tudo que ninguém aplaude e ninguém vaia, porque ninguém vê.

Setembro de 2004

As incríveis Hulk

Você nunca cogitou fazer cirurgia nos seios, nem para aumentá-los, nem para reduzi-los, pois está satisfeita com eles do jeito que são e não sente necessidade de transformar nada, ainda mais que já atingiu meio século de existência. Mas uma transformação ocorreu à sua revelia. Eles aumentaram um pouquinho de tamanho. Você não está grávida, naturalmente. Aconteceu. E, pensando bem, ficaram mais bonitos. E mais pesados, um perigo, você sabe por quê. Mas a vida segue.

Um dia você está no trabalho e sente um desconforto. Não entende bem a razão. Quando chega em casa, sente a compulsão de tirar o sutiã. Anda pela casa com tudo solto, seu marido acha que você está tendo uma recaída *hippie*, mas deixe-o pensar o que quiser. Consigo mesma, você dialoga: será que andei comprando um número menor do que costumo usar? Passam as semanas e de novo a sensação de aperto. Não consegue mais atravessar o dia inteiro de sutiã, mesmo usando alguns muito confortáveis. Secretamente, você começa a usar os seus sutiãs mais puídos, aqueles que já estão meio folgados. Só diante da promessa de uma noite de amor é que os troca por um belo sutiã de renda bem justo, e, na hora em que ele é aberto pelo felizardo com quem divide os lençóis, você solta um gemido de prazer antes da hora.

Hum. Tem alguma coisa estranha aí.

Você descobre o que é no dia em que recebe de presente uma camiseta de manga comprida. Tamanho médio, não tem erro, você usa o tamanho médio desde os 15 anos. Você a veste e está tudo ok, ela escorrega pelo tórax, e tem o comprimento ideal. Se você for como eu, vai sair com o presente já no mesmo dia em que o recebeu. Sou do tipo que compra uma roupa numa loja e saio usando, não espero ocasiões especiais. Então, você usa a camiseta que ganhou no mesmo dia também, até que, durante o encontro com as amigas à tardinha, sente uma compressão no bíceps. Na hora de erguer o braço para fazer um brinde, tem a impressão que a camiseta rasgará na altura da axila. Quando chega em casa, mal consegue despi-la, parece uma roupa de neoprene, você se sente um surfista que acabou de sair do mar. Ao conseguir, depois de dez minutos, se desfazer da camiseta, seus braços quase falam e agradecem: obrigada por nos devolver a circulação do sangue.

Calma. Pense. Você não está mais gorda. Alguém pode explicar?

Lamento ser portadora de más notícias, mas você alargou, apenas isso. Segue linda, mas seus braços não são mais aqueles dois gravetos de antigamente e suas costas não fazem mais os marmanjos suspirarem cada vez que usa frente única. Os ombros pontiagudos, outrora tão elegantes, deram uma arredondada. Enfim, o tempo fez um preenchimento por conta própria no que antes era naturalmente delgado. Nada grave. Não tome nenhuma providência, pois isso não se resolve com dieta nem cirurgia. É o efeito colateral de continuar viva e saudável – não queria ter morrido esquelética aos 40, queria? Aumente a numeração do sutiã e siga vivendo como se nada estivesse acontecendo.

E, por cautela, reforce todas as costuras.

Novembro de 2013

A bota amarela

Houve um tempo que eu detestava roupas amarelas. O que não deixava de ser estranho, uma vez que essa cor tem uma energia que combina com meu estado de espírito. Mas me fechei para o amarelo de uma forma ranzinza e implicante, e nesse fechamento creio que enclausurei uma parte importante de mim que passou a fazer falta. A parte em que deixo de imitar a mim mesma a fim de permitir que eu me surpreenda.

Explico: durante a vida a gente vai assimilando ideias, cultivando gostos, estabelecendo maneiras de ser, até que vira um ser humano aparentemente acabado: sou desse jeito, prefiro isso, não suporto aquilo, minha turma é essa, daqui não saio. Instalamo-nos numa bolha confortável e já temos as respostas prontas para quem vier bater à nossa porta. Na hora de enfrentar as demandas do dia a dia, nada mais simples: é só imitar aquela criatura com a qual nos habituamos. Já temos o manual de instruções decorado. Sou desse jeito, prefiro isso, não suporto aquilo etc. etc.

Até que chega um momento em que você se dá conta de que parece um boneco em que deram corda e que vive repetindo as mesmas frases, os mesmos gestos, sem nenhuma reflexão a respeito. Está há anos imitando a si mesmo, pois é fácil e rápido, um modelo pra lá de conhecido. No entanto, você tem uma reserva de imaginação, ainda sem uso, que deve ser acionada para o que, às vezes, se faz necessário: rasgar o manual e escrever uma nova história a partir do zero.

Pois então estava eu, caminhando por uma calçada, de bobeira, quando passei por uma vitrine e vi um desses manequins sem rosto vestindo um casaco colorido, uma calça jeans e uma bota amarela. Meu olhar de Cyborg (ninguém foi criança impunemente) focalizou a bota, deu-lhe ampliação e fez com que ela se destacasse do conjunto. Eu não enxergava mais nada, só aquela bota amarela. E, como num transe, entrei na loja, pedi meu número e provei a bota, sem ter a mínima ideia onde, quando e com que coragem a usaria um dia. Eu simplesmente saquei meu cartão de crédito e comprei a metáfora da vida que eu pretendia levar dali por diante.

Se não usá-la, poderei colocá-la numa prateleira da parede para que ela me lembre de que não precisamos ter uma cor preferida, que nossas convicções podem ser reavaliadas sem prejuízo à nossa imagem, que o que a gente gostava antes não precisa ser aniquilado em detrimento de nossos novos e frívolos amores. Enfim, que ninguém perderá sua essência só porque resolveu variar de personagem.

Insistir nas próprias convicções é um perigo. A certeza nem sempre é amiga da sanidade. Se eu fosse uma fashionista, ninguém estranharia, mas não sendo, há quem vá me achar meio maluca desfilando de bota amarela por aí. Não importa. Ela estará me conduzindo justamente ao saudável mundo do desapego de nossas crenças.

MARÇO DE 2013

A juventude da maturidade

"Feliz aniversário!"

Foi só ela ouvir essa frase e virou o rosto como se estivesse sendo agredida. "Não repita isso de novo. Não sei o que há de feliz em ficar mais velha."

Respondi: "Você diz isso porque está fazendo 34 anos. Quando fizer 52, vai sentir vontade de pendurar balões pela casa".

Ela desvirou o rosto e voltou a me encarar como se eu estivesse tendo algum surto de insanidade. "ÁHN?"

Só quem atravessa ao menos cinco décadas de vida pode entender a benção que é entrar na segunda juventude.

Claro que antes é preciso passar pelo purgatório. Poucos chegam aos 50 anos sem fazer uma profunda reflexão sobre a finitude, e dá um frio na barriga, claro. Amedronta principalmente quem ainda não fez nem metade do que gostaria de já ter feito a essa altura. Será que vai dar tempo?

Passado o susto, a resposta: vai. E se não der, não é o fim do mundo. Você não precisa morrer colecionando vontades não realizadas. Troque de vontades e siga em frente sem ruminar arrependimentos. Você finalmente atingiu o apogeu da sua juventude: é livre como nunca foi antes.

Então, não passe mais nem um dia ao lado de alguém que te esnoba, te provoca, que não se importa com seus sentimentos. Pare de inventar razões para manter seus infortúnios, você já fez sacrifícios suficientes, agora se permita um caminho mais fácil. Se ainda dá trela a fantasmas, se ainda pensa em vingancinhas ordinárias, se ainda não perdoou seus pais e seu passado, se ainda perde tempo com vaidades e ambições desmedidas, se ainda se preocupa com o que outros pensam sobre você, está pedindo: logo, logo estará um caco.

Para alcançar e merecer a segunda juventude, é preciso se desapegar de todas aquelas preocupações que havia na primeira. Quando essa Juventude Parte 2 terminar, não virá a Juventude Parte 3, mas o fim. Ou seja, esta é a última e deliciosa oportunidade de abandonar os rancores, não perder mais tempo com besteiras e dar adeus à arrogância, à petulância, à agressividade, ou seja, adeus às armas, aquelas que você usava para se defender contra inimigos imaginários. Agora ninguém mais te ataca, só o tempo – em vez de brigar contra ele, alie-se a ele, tome o tempo todo para si.

Eu sei que você teve problemas, e talvez ainda tenha – muitos. Eu também tive, talvez não tão graves, depende da perspectiva que se olha. Mas isso não pode nos impedir a graça de sermos joviais como nunca fomos antes. Lembra quando você dizia que só gostaria de voltar à adolescência se pudesse ter a cabeça que tem hoje? Praticamente está acontecendo.

Essa é a diferença que tem que ser comemorada. Na primeira juventude, tudo vai acontecer. Na segunda, está acontecendo.

Setembro de 2013

Um cara difícil

Prezada leitora: se um dia você sair com um cara pela primeira vez, motivada a iniciar um relacionamento amoroso, e ele adverti-la dizendo "sou um cara difícil", acione o alarme interno. Ok, pode ser que seja apenas charminho dele, uma maneira de se valorizar aos seus olhos – usou o adjetivo "difícil" como oposto de "tedioso". Sim, talvez ele só queira deixá-la ainda mais a fim, dizendo uma frase desafiadora que pode ser traduzida como: será que você consegue dar conta do meu temperamento explosivo, terá atributos suficientes para me amansar e me fazer virar um cordeiro na sua mão? Mulheres adoram esse joguinho perigoso.

Só que pode não ser jogo algum, e ele estar sendo absolutamente modesto na sua própria descrição: talvez ele não seja difícil, e sim impossível.

Nenhum de nós é muito fácil, nem homens, nem mulheres. Só o fato de termos sido criados em cativeiro numa família com suas próprias regras, valores e manias já faz de cada um de nós uma aposta arriscada na hora de ter que negociar com uma espécie nascida em um cativeiro diferente. Mas, como relações entre irmãos são veementemente desaconselhadas, o jeito é procurar uma alma gêmea na praia, no bar, na *rave* e torcer para que ele não dê o fatídico aviso "sou um cara difícil", porque se ele for mais difícil do que todos naturalmente são, aí danou-se.

O cara difícil vai estar superentusiasmado quando falar com você ao telefone pela manhã, e à tardinha ligará de novo para desmarcar o cinema porque precisa ficar sozinho. E o mais grave: ele vai mesmo ficar sozinho, com a luz apagada, em embate silencioso com seus demônios internos.

Quando vocês estiverem na plateia de um show com 3.000 pessoas, ele vai encasquetar que um homem de camiseta verde está olhando com insistência pra você, e vai ter certeza de que você está retribuindo o olhar, e você vai perder a voz tentando explicar, no meio daquela barulheira, que tem pelo menos 800 marmanjos de camiseta verde em volta, todos olhando para o palco.

Aliás, se estivessem olhando pra você, qual o problema, ele não se garante?

Que audácia, você peitou o cara difícil. Ele vai deixá-la sozinha no show e desligará o celular por três dias. Se você não amá-lo, o prejuízo será apenas a tarifa do táxi que você terá que pegar para voltar sozinha pra casa, mas se você o ama, prepare-se para esvair-se em explicações e declarações, a fim de trazê-lo de volta à realidade. Um cara difícil exige uma paciência oceânica.

Ele vai ser romântico e muito bruto. Ele vai ser generoso e muito casca grossa. Ele vai dizer a verdade e vai mentir às vezes. Ele vai fazê-la se sentir uma eleita entre todas, e depois vai dar mole para muitas. Ele vai implicar com as mínimas coisas, e com as grandes também. Ele vai exibir qualidades que você nem sabia que um homem poderia ter, e em troca vai abusar de todos os defeitos que você sabia que todo homem tinha. Ele vai ser ótimo na cama. Vai ser um perigo dirigindo um carro. Vai ser gentil com sua mãe. Vai ser um brucutu com a mãe dele. Ele mudará de humor a cada vinte minutos, ele vai brigar por nada, vai beijá-la demoradamente por horas, e, com essa bipolaridade bem ou mal disfarçada, ele a deixará tão tonta e exausta que você pensará que foi atropelada por um trem descarrilhado. "Quem sou eu?" será sua primeira pergunta ao acordar sobre os trilhos.

No primeiro encontro, pergunte: você é um homem difícil? Se ele responder que é, procure imediatamente um psicanalista. Pra você, santa.

MARÇO DE 2008

Briga de rua

Estava voltando da minha caminhada habitual, de manhã. Foi então que vi um carro imbicado na entrada da garagem de um edifício, com as quatro portas abertas, e, antes que eu achasse estranho, comecei a ouvir gritos. Ao lado do carro, uma moça segurava um menino no colo, um garoto de uns quatro anos que chorava muito. Chorava de medo e susto: sua mãe berrava com seu pai. Um pai igualmente descontrolado que a impedia de entrar no prédio com a criança. O que havia acontecido? Não sei, não os conheço, não consigo imaginar o que motivou esse barraco, só sei que fiquei em choque diante da cena: uma mulher no auge da sua fúria, histérica, ordenando que aquele homem desaparecesse, que sumisse, e ele chorando e ao mesmo tempo segurando-a pelo braço, até que ela se desvencilhou e deu um tapão na cara dele, e outro, e a criança no colo apavorada, e eu parada a poucos metros de distância, sem saber se acudia, se fugia, sem um celular para chamar alguém – vá que ele esteja armado? Aquilo poderia terminar em tragédia.

Com a ingenuidade que me é característica, cheguei a pedir, parem com isso, conversem depois, olhem as crianças, e foi então que me dei conta de que elas estavam mesmo no plural, havia outra criança presa a uma cadeirinha dentro do carro, uma menina de não mais que dois anos, que chorava também. A essa altura outros transeuntes pararam, circundamos o casal, mas todos sem ação, imobilizados pelo ditado "em briga de marido e mulher não se mete a colher", mas não se mete mesmo? Uma senhora tentou tirar o menino do colo da mãe para que ele não recebesse um safanão sem querer, mas o menino, lógico, não quis sair de onde estava, a despeito de todos os riscos que nem sabia que estava correndo, e o que mais me impressionava nem era aquele homem desfigurado, impedindo a passagem dela, nem o menino que chorava diante de uma cena que jamais irá esquecer, mas a mulher, a mulher que não chorava, e sim berrava "NÃO TOCA EM MIM!", berrava "SAI DA MINHA FRENTE!", berrava e batia naquele homem que era duas vezes o seu tamanho, berrava de uma maneira surtada, assustadora, com uma voz que nem parecia vir dela, mas da fera que a habitava, berrava com uma raiva e um tormento que não podia ser maior. Ela havia chegado ao seu limite, dali em diante ela iria matá-lo, se matá-lo fosse possível.

Foi então que entendi como acontecem esses crimes passionais que ocorrem longe dos nossos olhos, entre quatro paredes: por algum motivo, um homem ou uma mulher, ou ambos, tornam-se irracionais. Não se escutam, não conversam, não preservam os filhos, não percebem o entorno, viram dois selvagens, até que um deles escape ou morra.

Ela escapou. Um rapaz interveio, segurou o homem, e ela entrou no prédio com as duas crianças. Perdida a batalha, ele ficou socando o chão, fora de si. Tudo isso numa das avenidas mais movimentadas da cidade, às 11 horas da manhã. Voltei para casa arrasada. Tenho o estômago fraco para a estupidez e para a brutalidade, descontroles emocionais me parecem terrivelmente ameaçadores. Nunca saberei quem era a real vítima da história, quem estava com a razão, e não estranharia se hoje os encontrasse de mãos dadas, com as pazes feitas, que isso é mais comum do que se pensa. Mas a violência do ato existiu, e foi testemunhada por duas crianças.

Na verdade, por três crianças. O mundo adulto, ali, me fechava as portas.

Maio de 2012

Nós

Poucas pessoas gostam de viajar sozinhas. O que é compreensível: a melhor modalidade é a dois, também acho. Mas na ausência momentânea de parceria, por que desconsiderar uma lua de mel consigo mesmo?

Uma amiga psicanalista me disse que não é por medo que as pessoas não viajam sozinhas, e sim por vergonha. Faz sentido: numa sociedade que condena a solidão como se fosse uma doença, é natural que as pessoas se sintam desconfortáveis ao circularem desacompanhadas, dando a impressão de serem portadoras de algum vírus contagioso. Pena. Tão preocupadas com sua autoimagem, perdem de se conhecer mais profundamente e de se divertir com elas próprias.

Vivi recentemente essa experiência. Tirei dez dias de férias, e não diga que não reparou ou morrerei de desgosto. Estive em lugares que já conhecia para não me sentir obrigada a conferir as atrações turísticas – o "aproveitar" não precisa necessariamente ser dinâmico, podemos aproveitar o sossego também. Minha intenção era apenas flanar, ler, rever amigos que moram longe e observar a vida acontecendo ao redor, sem pressa, sem mapas, sem guias. Dormir até mais tarde e almoçar na hora em que batesse a fome, se batesse. Estar disponível para conversar com estranhos, perceber o entorno de forma mais aguçada, circular de bicicleta por cidades estrangeiras. Ave, bicicleta! Diante do incremento de turistas no mundo, não raro impossibilitando a contemplação de certos pontos, alugar uma bike às 7h30 da manhã foi a solução para curtir ruas vazias e silenciosas.

Solitários, somos todos, faz parte da nossa essência. Não é um defeito de fabricação ou prova de nossa inadequação ao mundo, ao contrário: muitas vezes, a solidão confirma nossa dignidade quando não se está afim de negociar nossos desejos em troca de companhia temporária. E a propósito: quem disse que, sozinho, não se está igualmente comprometido?

Numa praça em Roma, um casal de brasileiros se aproximou. Começamos a conversar. Lá pelas tantas perguntei de onde eles eram. "De São Paulo, e você?". Respondi: "Nós, de Porto Alegre". Nós!!! Quanta risada rendeu esse ato falho. Eu e eu. Dupla imbatível, amor eterno, afinidade total.

Se você não se atura, melhor não viajar em sua própria companhia. Mas se está tudo bem entre "vocês", saiam por aí e descubram como é bom sentar num café num dia de sol, pedir algo para beber enquanto lê um bom livro, subir até terraços para apreciar vistas deslumbrantes, entrar em lojas e ficar lá dentro o tempo que desejar, entrar num museu e sair dali quando bem entender, caminhar sem trajeto definido nem hora pra voltar, pedalar ao longo de um rio ouvindo suas músicas preferidas, em conexão com seus pensamentos e sentimentos, nada mais.

Vergonha? Senti poucas vezes na vida, quando não me reconheci dentro da própria pele. Mas estando em mim, sob qualquer circunstância, jamais estarei só.

Setembro de 2012

A sala de espera do analista

Sempre que saio da minha consulta no analista, há uma senhora na sala de espera aguardando sua vez. Antes, eu cruzava por ela e fazia um aceno educado com a cabeça. Com o tempo, passei a sorrir e dizer "Tudo bem?". Em breve, me sentirei tão à vontade que perguntarei: "E aí, qual é a sua encrenca? Dificuldade de desapegar, síndrome do pânico, bipolaridade?".

E tudo terminará num bistrô, entre boas risadas.

Obviamente, meu comportamento demonstra um desajuste. Não é por acaso que preciso frequentar um profissional que aperte meus parafusos frouxos.

Já quando sou eu que estou na sala de espera aguardando, a situação se inverte. O paciente anterior sai e nem olha para os lados. Cruza por mim como se eu fosse uma cadeira vazia. Nem uma espichada de olhos, nem um esgar, nem um grunhido. Não existo. Ele passa reto. Sou uma cadeira.

Eu poderia ficar com a autoestima abalada, ele não sabe o risco que está causando. Ou talvez saiba, mas não se importa com o que sinto. Será que ele não se importa com o que sinto? Acho que estou desenvolvendo um complexo de inferioridade. Mais essa agora. Desse jeito, minha alta não virá nunca.

Sempre que entro em uma pequena sala de espera, qualquer que seja, cumprimento quem ali está. Não saio distribuindo beijinhos, mas demonstro educadamente que percebi a presença de outros no recinto. Logo, é natural que eu faça o mesmo numa sala de espera que frequento toda semana à mesma hora, e onde eventualmente vejo as mesmas pessoas saindo ou entrando. Compartilhamos uma rotina, ora.

Só que não é simples assim. Ninguém fica com vergonha de ir ao dermatologista, ao oftalmo ou ao otorrino, mas consultar um analista ainda é algo extremamente íntimo. Os pacientes sentem-se constrangidos ao serem vistos num ambiente onde costumam confessar seus traumas e fraquezas. Talvez não acreditem na eficiência do revestimento acústico das paredes, desconfiam de que aquela criatura aguardando na sala de espera escutou os detalhes de suas compulsões sexuais e de suas neuroses cabeludas. Era para ter ficado tudo em segredo, era para ter sido um momento privado, inviolável, confidencial – e é! –, porém, em poucos minutos, aquele estranho sentará na mesma poltrona (ou deitará no mesmo divã) e privará dos cuidados do mesmo profissional, imediatamente depois de termos estado ali, e a sensação é de promiscuidade.

Queremos acreditar que o terapeuta é só nosso.

Mas não é: o paciente sentado na sala de espera confirma que somos apenas mais um, que nossos problemas não são o centro da atenção de quem nos analisa e de que é provável que as paranoias daquele outro sejam mais interessantes do que nossos questionamentos banais. Intolerável. Melhor mesmo fazer de conta que ali fora está apenas mais uma cadeira vazia.

Setembro de 2013

Morri

É uma das gírias do momento: "Morri" (mas dizem que já começa a cair em desuso, fenecendo ela própria).

"Morremos" quando ficamos impactados por algo, quando um acontecimento nos tira o ar, quando não acreditamos no que estamos vendo, ou seja, quando parece que fomos para o céu. Sem fatalismo. É apenas uma gracinha.

Tenho simpatia pelo uso corriqueiro e desestressado de tudo que invoque a palavra morte. Na mesma proporção, sinto certo desprezo pela reverência aterrorizante que prestam a ela. Qual o problema, morrer?

Não tenho medo da morte porque já morri muito.

Não apenas em momentos quando cabia o uso da gíria (durante minha música preferida num show, quando me deparei com uma praia de cartão-postal, quando ouvi algo que eu esperava escutar havia tempo), mas, muitas vezes, no sentido fúnebre mesmo: morri todas as vezes em que me frustrei, morri quando deixei a infância, morri quando deixei a puberdade, morri quando passei por finais de amor, morri quando passei adiante apartamentos em que vivi, morri por todas as minhas desistências, morri diante de cada tarefa terminada, morri quando machuquei algumas pessoas sem querer, morri nas inúmeras vezes em que fui machucada, morri tanto por ferimentos leves quanto por balaços à queima-roupa.

E morri em solidariedade à morte dos outros, morri diante de tragédias que não aconteceram comigo, morri pelas estatísticas, morri de vergonha alheia, morri pelo que passou raspando. Tudo o que acontece de triste, a qualquer outro ser humano, passa rente a nós.

Morri por excesso de sensibilidade e às vezes por um rigor desmedido, mesmo que, em termos genéricos, eu procure ver alguma graça em tudo.

Agorinha mesmo, dez minutos atrás, morri um pouquinho. Coisa de nada. Já voltei.

Sem morte, não há vida. Quem não morre, não renasce, não volta mais atento, não volta mais amoroso, não volta mais experiente, não volta. Vira cadáver já na primeira morte, que pode ter acontecido aos 5 anos, aos 12, aos 16: quando você morreu pela primeira vez?

Minha relação amistosa com a morte vem justamente do exagero de amor que tenho pela vida, pela profunda capacidade de regeneração que me trouxe até aqui, habilitada para extrair alegria das mínimas coisas e êxtase das maiores. É por já ter morrido muito que vibro quando o telefone toca, quando o dia amanhece com sol, quando vejo os amigos, quando pratico exercícios, quando aprendo uma atividade nova, quando acerto, quando venço, quando comemoro. Não é só a iminência de uma morte definitiva que nos faz valorizar cada dia respirado, mas também as sucessivas mortes pontuais, aquelas que nos dão o passe para finalizar a próxima jogada com mais êxito.

Morreu? Nasce um novo começo.

JUNHO DE 2014

Quanta felicidade eu aguento?

"Te desejo toda a felicidade que puder aguentar." Foi com essa frase que uma leitora encerrou seu e-mail, e fiquei petrificada diante do computador, um pouco pela explosão de gentileza de alguém que nem conheço, e outro tanto pela contundência que me fez pensar: quanta felicidade eu aguento?

Desde que lancei um livro com a palavra "feliz" no título (a coletânea de crônicas *Feliz por nada*, de 2011) que respondo até hoje a uma infinidade de entrevistas com esse mote: o que é, afinal, ser feliz?

Bom, quando estou triste, estou feliz. Não sei se isso responde.

Felicidade não tem a ver com oba-oba, riso frouxo, vida ganha. Isso é alegria, que também é ótima, mas não tem a profundidade de uma felicidade genuína que engloba não só a alegria como a tristeza também. Felicidade é ter consciência de que estar apto para o sentimento é um privilégio, e que quando estou melancólica, nostálgica, introvertida, decepcionada, isso também é uma conexão com o mundo, isso também traz evolução, aprendizado.

Feliz de quem cresce, mesmo aos trancos.

Infelicidade, ao contrário, é inércia. A pessoa pode passar a vida inteira sem ter sofrido nada de relevante, nenhuma dor aguda, mas atravessa os dias sem entusiasmo, anestesiada pelo lugar-comum, paralisada por seu próprio olhar crítico, que julga os outros sem nenhuma condescendência. Para ela, todos são fracos, desajustados ou incompetentes, e não sobra afetividade nem para si mesma: se está sozinha ou acompanhada, tanto faz. Se lá fora o sol brilha ou se chove, tanto faz. Se há a expectativa de uma festa ou a iminência de um velório, tanto faz. Essa indiferença em relação ao que os dias oferecem é uma morte que respira, mas ainda assim, uma morte.

Eu reajo, eu me movo, eu procuro, eu arrisco – essa perseguição a algo que nem sei se existe é uma homenagem que presto à minha biografia. Nada me amortece, tudo me liga, tanto aquilo que dá certo como também o que dá errado. Felicidade é uma palavrinha enjoada, que remete só ao bom, mas dou a ela outro significado: é uma inclinação corajosa para a vida, que nunca é só boa.

Já a infelicidade é uma blindagem contra o encantamento, é negar-se a extrair das miudezas o mesmo feitiço que as grandezas proporcionam.

Eu celebro o suco de laranja matinal, o telefonema de uma amiga, a saudade que eu sinto de algumas pessoas, a luz que entra pela janela do quarto ao amanhecer, a música que escuto solitária e que me remete a uma inocência que já tive – e pelo visto ainda tenho. Celebro o já vivido e o que está por vir, as risadas compartilhadas e o choro silencioso, e todas as perguntas que um dia talvez sejam respondidas. Como esta: quanta felicidade eu aguento? Vá saber. Acho que até a exaustão.

Maio de 2014

O Michelangelo de cada um

Escultura não era algo que me chamava atenção na adolescência, até que um dia tomei conhecimento da célebre resposta que Michelangelo deu a alguém que lhe perguntou como fazia para criar obras tão sublimes como, por exemplo, o Davi. "É simples, basta pegar o martelo e o cinzel e tirar do mármore tudo o que não interessa." E dessa forma genial ele explicou que escultura é a arte de retirar excessos até que libertemos o que dentro se esconde.

A partir daí, comecei a dar um valor extraordinário às esculturas, a enxergá-las como o resultado de um trabalho minucioso de libertação. Toda escultura nasceu de uma matéria bruta, até ter sua essência revelada.

Uma coisa puxa a outra: o que é um ser humano, senão matéria bruta a ser esculpida? Passamos a vida tentando nos livrar dos excessos que escondem o que temos de mais belo. Fico me perguntando quem seria nosso escultor. Uma turma vai reivindicar que é Deus, mas por mais que Ele ande com a reputação em alta, discordo. Tampouco creio que seja pai e mãe, apesar da bela mãozinha que eles dão ao escultor principal: o tempo, claro. Não sou a primeira a declarar isso, mas faço coro.

Pai e mãe começam o trabalho, mas é o tempo que nos esculpe, e ele não tem pressa alguma em terminar o serviço, até porque sabe que todo ser humano é uma obra inacabada. Se Michelangelo levou três anos para terminar o Davi que hoje está exposto em Florença, levamos décadas até chegarmos a um rascunho bem-acabado de nós mesmos, que é o máximo que podemos almejar.

Quando jovens, temos a arrogância de achar que sabemos muito, e, no entanto, é justamente esse "muito" que precisa ser desbastado pelo tempo até que se chegue no cerne, na parte mais central da nossa identidade, naquilo que fundamentalmente nos caracteriza. Amadurecer é passar por esse refinamento, deixando para trás o que for gordura, o que for pastoso, o que for desnecessário, tudo aquilo que pesa e aprisiona, a matéria inútil que impede a visão do essencial, que camufla a nossa verdade. O que o tempo garimpa em nós? O verdadeiro sentido da nossa vida.

Michelangelo deixou algumas obras aparentemente inconclusas porque sabia que não há um fim para a arte de esculpir, porém em algum momento é preciso dar o trabalho como encerrado. O tempo, escultor de todos nós, age da mesma forma: de uma hora para a outra, dá seu trabalho por encerrado. Mas enquanto ele ainda está a nosso serviço, que o ajudemos na tarefa de deixar de lado os nossos excessos de vaidade, de narcisismo, de futilidade. Que finalmente possamos expor o que há de mais precioso em você, em mim, em qualquer pessoa: nosso afeto e generosidade. Essa é a obra-prima de cada um, extraída em meio ao entulho que nos cerca.

Junho de 2013

Feliz aniversário

Ela sabe que é um pensamento improdutivo, mas mesmo assim se preocupa com a passagem do tempo, parece uma menina assustada diante do acúmulo de números que sua idade vem ganhando. Não entende onde foram parar seus 16 anos, seus 21, seus 29, seus 35, seus 42.

Ora, onde eles podem estar? Todos ainda dentro dela.

Ao assoprar as velas, a sensação é a de que o passado também se apaga e um presente totalmente novo é inaugurado. Sendo virgem da nova idade, é como se estivesse nascendo naquele específico dia com pequenas rugas e manchas surgidas subitamente, e não trazidas do antes. Como se estivesse vindo ao mundo na manhã do festejado dia com os quilos, as dores e os limites de um adulto recém-nascido e com uma expectativa de vida mais curta, sem nenhum registro do tempo transcorrido até ali, aquele tempo que sumiu.

Sumiu nada.

Você tem seus 16 anos para sempre. Seus 21. Seus 25 e todos os outros números que contabilizou a cada aniversário: você tem 8 anos, você tem 19, você tem 37. Você só ainda não tem o que virá, mas os anos que viveu ainda estão sendo vividos, são eles que, somados, te transformaram no que é hoje. Sua idade atual não é uma estreia, você não nasceu com esses anos todos que sua carteira de identidade diz que você tem. Só o dia do seu nascimento foi uma estreia. Desde então você nunca mais saiu de cena. Ainda estão em curso seus primeiros minutos de vida.

Você ainda sente o nervosismo das primeiras vezes, as mesmas dúvidas diante das escolhas, o afeto por pessoas que foram importantes lá atrás, a adrenalina dos riscos corridos. Nada disso evaporou. O ontem segue agindo sobre você, segue interferindo na sua trajetória. É a mesma viagem, a mesma navegação. O meio de transporte é seu corpo, e ele ainda não atracou.

Mas e todo aquele peso extra que você um dia jogou ao mar?

Não muda nada. A viajante que durante o percurso vem se desfazendo de algumas coisas continua sendo você. Aquele instante aos 19 anos ou aos 26 em que você cruzou o olhar com alguém que modificaria seu futuro continua acontecendo, o ponteiro continua se mexendo, o tempo não parou. Desiludem-se os amantes apaixonados que, quando se instalam num amor maduro, não encontram mais a mágica anterior que fazia o tempo parar, mas não se deve ser tão fatalista, você não tem 18 anos, ou 37, ou 53. Você tem 18, 37 e 53. No que tange ao tempo vivido, não há "ou". São várias idades contidas numa frequência cardíaca ininterrupta.

Você chegou a uma idade gloriosa, a idade de entender que não existe perda, só ganhos. Não existe envelhecimento, e sim desenvolvimento constante. O tempo não passa, ele está sempre conosco. O novo não ficou para trás, ao contrário, o novo está adiante: na vida que ainda está por vir.

Agosto de 2014

Relações curtas

Ao anunciar para uma amiga o fim de um namoro, a primeira pergunta que ela me fez (a única, aliás) foi: "Quanto tempo vocês ficaram juntos?". Percebi que, dependendo da minha resposta, ela decidiria se eu merecia um abraço apertado ou um simples "ah, amanhã você nem lembra mais" e pularia para outro assunto.

"Seis meses", respondi.

Adivinhe. Ela disse "ah" e nem perdeu tempo com a sequência da frase, começou logo a falar de si mesma, seu tema favorito. Não mereci nem um "que pena, miga".

Meu histórico romântico é modesto em quantidade. Vivi um longo amor na adolescência, depois um casamento que durou vinte e um anos e então um turbulento *affair* que durou oito. Não se pode dizer que é o perfil de uma aventureira. Ao término dessa tripla jornada, eu já havia chegado aos 50, não era mais uma garotinha. Mas foi justamente depois disso que alguns romances começaram a ser realmente passageiros se comparados à minha média anterior. Seis meses pode, de fato, parecer um rolo sem consequências que, quando chega ao fim, não estimula sua turma a alcançar um lenço.

Mas, como diz meu amigo Fabrício Carpinejar, relações curtas nem por isso são pequenas. São curtas porque a maturidade nos dá outra dimensão do tempo: já não fazemos investimento a fundo perdido. Conhecemos nossas capacidades e limitações, sabemos o que podemos suportar e o que não, e até desenvolvemos a proeza de prever o futuro: isso funcionará, isso nem com a benção do santo. Mas tentamos. E de tentativa em tentativa a gente vai escrevendo capítulos curtos tão significativos quanto relações longevas consideradas "sérias".

Sério, sério mesmo, nada é, já que morreremos amanhã ou logo ali. Mas vale dar alguma gravidade aos amores, não grave no sentido de sisudo, mas no sentido de importante. Sendo assim, relações que duraram cem dias, ou que duraram 72 horas, ou que nem chegaram às vias de fato, habitando apenas o universo da fantasia, podem ser tão impactantes quanto uma história arrastada com alguém que, como diz a piada, você chama de "meu amor" porque esqueceu o nome da pessoa.

Relacionamentos iniciados na juventude e que se estenderam por décadas nem sempre são tão dignos: às vezes, é só a preguiça e o comodismo unidos contra a vontade de cair fora. Já os amores da fase madura não dão ibope à farsa. Quem ainda tem 20 anos está desculpado por se iludir, mas quem já tem alguma quilometragem não estica a discussão.

Isso não é desamor, não é frieza. Ao contrário, é a crença entusiasmada de que é possível encontrar alguém que equalize e que torne a vida mais completa e prazerosa – oxalá, para sempre. Mas sem condescendências insanas. Quem chegou aos 50 aceita a solidão que lhe cabe e só abre mão dela se valer muito a pena. Se valer, amará com entrega e verdade, mesmo sem a chancela da eternidade.

MARÇO DE 2018

Música × comida

Era começo de carreira, eu ainda inocente. Fui convidada a palestrar para algumas senhoras num chá filantrópico. Topei. Às quatro em ponto me apresentaram ao grupo e me passaram o microfone. Ao mesmo tempo, três garçons começaram a colocar os bules e os biscoitos nas mesas. Dada a largada para o embate.

Eram senhoras educadas e distintas. Cinco minutos antes, todas se declararam fãs e queriam muito escutar sobre minha experiência como colunista. Mas foi aparecer o primeiro amanteigado sobre a mesa e minha permanência no recinto foi tão percebida quanto um cisco no assoalho. Eu falava sobre poesia e elas se atiravam sobre a geleia de framboesa. Eu contava sobre os benefícios de se trabalhar em casa e as xícaras debatiam-se contra os pires. Enquanto eu narrava a minha aflição por, às vezes, ficar sem assunto, elas demonstravam aflição ainda maior por ficar sem adoçante.

Até hoje me apiedo de pessoas que palestram em reuniões-almoço e de músicos que tocam em churrascaria. Comida não tem concorrente. Ou se come ou se presta atenção. Semana passada estive numa festa onde tocaria a banda Jazz 6, do Luis Fernando Verissimo. Um luxo. Só que, no primeiro acorde de sax, liberaram o bufê. Adeus, jazz. Adeus, educação. Era Cole Porter versus filé ao molho madeira. Gershwin versus musse de salmão. Chet Baker versus arroz à grega. A orquestra de talheres e cálices roubou o espetáculo.

Música até combina com bebida, mas não com refeição completa. Fico comovida quando vejo alguém tocar seu violãozinho e cantar qualquer coisa inaudível enquanto o pessoal avança sobre o estrogonofe. Nem Frank Sinatra conseguiria o silêncio e a reverência de uma plateia a quem, além de ser servida "A Voz", fosse servido também camarão ao curry. Ou se tem música ao vivo ou comida ao vivo. Como dueto, é uma desafinação só.

Dezembro de 2000

As contradições do amor

Eu estava quieta, só ouvindo. Éramos eu e mais duas amigas numa mesa de restaurante e uma delas se queixando, pela trigésima vez, do seu namoro caótico, dizendo que não sabia por que ainda estava com aquele sequelado *et cetera, et cetera*. Estava planejando terminar com o cara de novo, e a gente sabia o quanto essa mulher sofria longe dele. Eu estava me divertindo diante desse relato mil vezes já escutado: adoro histórias de amor meio dramáticas. Foi então que a terceira componente da mesa, que é psicanalista, disse a frase definitiva: "Eu, se fosse você, não terminava. Às vezes ficamos mais presas a um amor quando ele termina do que quando nos mantemos na relação".

Tacada de mestre.

A partir daí, começamos a debater essa inquestionável verdade: em determinadas relações, ficamos muito mais sufocadas pela ausência do homem que amamos do que pela presença dele. Creio que vale para ambos os sexos, aliás. Um namoro ou casamento pode ser questionado dia e noite: será que tem futuro? Será que vou segurar a barra de conviver com alguém tão diferente de mim? Será que passaremos a vida assim, às turras? Óbvio que não há respostas para essas perguntas, elas são feitas pelo simples hábito de querer adivinhar o dia de amanhã, mas a verdade é que, mesmo sem certificado de garantia, a relação prossegue, pois, além de dúvidas, existe amor e desejo. E isso ameniza tudo. Os dois estão unidos nesse céu e inferno. Até que um dia, durante uma discussão, um dos dois se altera e termina tudo. Alforria? Nem sempre. Aí é que pode começar a escravidão.

Nossa amiga queixosa, a da relação ioiô, perdia o rumo cada vez que terminava com o namorado. Aí mesmo é que não pensava em outra coisa. Só nele. Não conseguia se desvencilhar, mesmo quando tentava. Todas as suas atitudes ficavam atreladas a esse homem: queria vingar-se dele, ou fugir dele, ou atazaná-lo – cada dia uma decisão, mas todas relacionadas a ele. Só quando reatavam (e sempre reatavam) é que ela descansava um pouco desse stress emocional e se reconciliava consigo mesma.

Eu nunca havia analisado o assunto por esse ângulo. Sempre achei que a sensação de asfixia era derivada de uma união claustrofóbica e a sensação de liberdade só era conquistada com o retorno à solteirice. Mas o amor, de fato, possui artimanhas complexas.

Minha amiga finalmente terminou sua relação tumultuada e hoje está vivendo um casamento mais maduro e sereno. Aquele nosso papo foi há alguns anos, mas nunca mais esqueci essa inversão de sentimentos que explica tanta angústia e tanta neura. Por que temos urgência de abandonar um amor pelo fato de ele não ser fácil? Quem garante que sem esse amor a vida não será infinitamente mais difícil? Às vezes é melhor uma rendição do que fugir de um amor que não foi vivido até o fim.

Foi isso que nossa amiga psicanalista quis dizer durante o jantar: não antecipe o término do que ainda não acabou, espere a relação chegar até a rapa, e aí sim.

DEZEMBRO DE 2008

Gafes virtuais

Entrou uma mensagem no meu WhatsApp de um ator bonitão, com quem eu nunca havia falado na vida, me convidando para um café a fim de conversarmos sobre uma possível parceria profissional. Disse que seria complicado assumir o projeto que ele me propunha por questão de prazo, perfil e outros impedimentos, mas ele pediu que eu ao menos escutasse o que tinha a dizer e acabamos marcando o tal café, em tal lugar, a tal hora. Depois de tudo combinado, quis ser simpática e encerrar a troca de mensagens com um emoji sorridente ou com uma mãozinha com o polegar levantado, mas me atrapalhei e mandei um coração vermelho, gigantesco, batendo forte. Pura paixão.

Logo digitei o inevitável "ops, errei", ele respondeu que já havia cometido mancadas muito piores, *hahahaha*, *kkkkkkk*, e por fim a despedida sóbria, como convém a dois estranhos.

Às vezes tenho vontade de esganar Steve Jobs, Mark Zuckerberg e demais gênios do Vale do Silício que inventaram essas geringonças eletrônicas para conectar os povos e de quebra perpetuar gafes universais.

Você está no WhatsApp com uma amiga, aquela que sabe um segredo embaraçoso sobre você, e ao mesmo tempo com um grupo de dezesseis outras amigas (conversas simultâneas entre vários destinatários sempre me faz lembrar o filme *Koyaanisqatsi*). Claro que você vai mandar para todo o grupo, por engano, o comentário sigiloso que era destinado apenas à sua amiga confidente. E dá-lhe voltas para fazer com que as outras quinze pensem que entenderam o que não entenderam. *Expert* em *enrolation*: quem de nós não se tornou um?

Sobre o corretor automático, nada mais a declarar. É o maior puxa-tapete do espaço virtual.

Mas nada se compara aos enganos perpetrados por nossos próprios dedinhos automáticos. Sei de mãe que já mandou nude para a própria filha quando deveria ser para os olhos do namorado *only*, sei de gente que por engano convidou para um jantar familiar o empreiteiro com quem estava negociando um orçamento, sei de empregador que mandou uma minuta de contrato para o funcionário errado e se viu obrigado a reajustar o salário dele, sei de homem que mandou declarações apaixonadas para a própria mulher e teve que explicar que romantismo todo era aquele depois de 31 anos de casados.

Sem falar das vezes em que a gente toca em cima da foto do perfil e acaba acionando o telefone, ligando para a criatura sem querer – nossos dedos, além de automáticos, são gorduchos demais para essas telas mínimas.

Ato falho? Sei não. Significaria que estamos o tempo todo enviando mensagens que nossa consciência não autoriza, e por isso o subconsciente se intromete e faz acontecer. Será? Prefiro acreditar que é apenas dislexia digital – e acidental. Ops.

Setembro de 2016

Se você estivesse sozinho

Faz muito tempo. Um grupo de teatro local apresentava uma peça. Era um texto para paladares exigentes, só que a única coisa que a plateia queria era gargalhar e voltar cedo para casa, ou seja, não estava sendo atendida. A peça era dramática e com um texto infinito – e meio chato. Alguém na terceira fila tossiu porque precisou tossir. Alguém na quinta fila tossiu também, porque o primeiro tossiu: é contagioso. Alguém na última fila tossiu de sacanagem. E aconteceu. A plateia inteira começou a tossir. Era um novo tipo de vaia. Cerca de 40, 50, 60 pessoas tossindo de propósito e ao mesmo tempo. Ninguém mais conseguia escutar o que estava sendo dito no palco. Os atores foram linchados sem derramamento de sangue.

Estar em grupo é um conforto, mas também é um perigo. Podemos cantar juntos durante um show, rezar juntos durante uma missa, mas também podemos odiar juntos, ser vulgares juntos, fazer besteira juntos. Deixamos de ser um indivíduo responsável pelos próprios atos para nos transfigurar numa massa espessa sem identidade – "todos" e "nenhum" se confundem.

Quem é você em meio a tantos? A camuflagem autoriza o despertar da besta-fera.

Antes de se deixar levar pela horda, valeria a pena se perguntar: se eu estivesse sozinho, faria o mesmo?

Se você estivesse sozinho, teria praticado *bullying* contra a gordinha do colégio?

Se você estivesse sozinho, teria experimentado aquela droga pesada?

Se você estivesse sozinho, teria partido para cima do torcedor do time rival?

Se você estivesse sozinho, teria saqueado o caminhão tombado no meio da estrada?

Se você estivesse sozinho, teria tacado fogo no ônibus?

Se você estivesse sozinho, teria humilhado o calouro da universidade com aquele trote?

Se você estivesse sozinho, teria amarrado aquele cachorro no cano de descarga de um carro?

Diversão é um conceito muito elástico. Para arrancar algumas risadas, nos tornamos idiotas. Para ser aceito no grupo, somos capazes de infringir leis. Para demonstrar que não temos medo, desafiamos perigos e corremos riscos tolamente, misturando-nos a ogros sem consciência. Corajoso é quem interrompe a onda destrutiva, não faz quórum para as estupidezes alheias e continua agindo como agiria se estivesse sozinho, sem o respaldo da massa.

Ninguém é mais criança. Um adulto que se mete em encrenca para depois alegar "foi ele que começou" está apenas se escondendo atrás do slogan dos covardes.

Janeiro de 2016

Ilustríssimos

Sua família sempre lhe chamou de Guto, tanto que você já nem lembra que nome realmente tem. É Guto pra lá e pra cá. Guto no jardim de infância, Guto no colégio, Guto no clube. Você tem todos os motivos, portanto, para ficar lívido e com as pernas bambas quando sua mãe grita lá da sala: "Ricardo Augusto, venha já aqui". Ricardo Augusto? Alguma você aprontou.

Por que cargas-d'água somos tratados tão respeitosamente quando alguém está com vontade de nos enforcar? Sua mulher sempre lhe chamou de Beto: só lhe chama de Valter Alberto quando está a ponto de pedir o divórcio. E seu pai só lhe chama de Ana Beatriz quando avisa que a mesada será cortada. Por que cortar a mesada da sua Aninha, papai? A senhora sabe muito bem por quê. Você acaba de virar senhora com 14 anos.

Recebo um monte de e-mails carinhosos que começam com um simples Martha, ou Cara Martha, ou Prezada Martha, uma intimidade natural, já que de certo modo participo da vida das pessoas através do jornal. Mas quando entra um e-mail intitulado Dona Martha, valha-me Deus. Respiro fundo porque já sei que vão me detonar de cima a baixo, vão me chamar das coisas mais horrendas, vão me humilhar até me reduzirem a pó. Mas leio tudo, pois lá no finalzinho encontrarei o infalível "Cordialmente, fulano". Cordialmente é ótimo. Cordialmente, fui esculhambada.

E quando chega uma correspondência pra você em que no envelope está escrito Ilustríssima? Penso três mil vezes antes de abrir. Mas abro, mesmo sabendo que não é convite para festa, pré-estreia de filme, desfile de moda, sessão de autógrafos ou inauguração de restaurante. Ilustríssima? Só pode ser convite para a palestra de algum ph.D. em física quântica, para comemoração do bicentenário de uma loja de molduras ou convocação para reunião de condomínio. Os ilustríssimos não merecem se divertir.

Agora, pânico mesmo, só quando me chamam de Vossa Excelência. Como não sou o presidente da República, volto a pensar três mil vezes antes de abrir a correspondência, mas resolvo não abrir coisa nenhuma. Só pode ser do Judiciário. Intimação pra depor.

OUTUBRO DE 2001

O grito

Não sei o que está acontecendo comigo, diz a paciente para o psiquiatra.

Ela sabe.

Não sei se gosto mesmo da minha namorada, diz um amigo para outro.

Ele sabe.

Não sei se quero continuar com a vida que tenho, pensamos em silêncio.

Sabemos, sim.

Sabemos tudo o que sentimos porque algo dentro de nós grita. Tentamos abafar esse grito com conversas tolas, elucubrações, esoterismo, leituras dinâmicas, namoros virtuais, mas não importa o método que iremos utilizar para procurar uma verdade que se encaixe nos nossos planos: será infrutífero. A verdade já está dentro, a verdade se impõe, fala mais alto que nós, ela grita.

Sabemos se amamos ou não alguém, mesmo que seja óbvio que é um amor que não serve, que nos rejeita, um amor que não vai resultar em nada. Costumamos desviar esse amor para outro amor, um amor aceitável, fácil, sereno. Podemos dar todas as provas ao mundo de que não amamos uma pessoa e amamos outra, mas sabemos, lá dentro, quem é que está no controle.

A verdade grita. Provoca febres, salta aos olhos, desenvolve úlceras. Nosso corpo é a casa da verdade, lá de dentro vêm todas as informações que passarão por uma triagem particular: algumas verdades a gente deixa sair, outras a gente aprisiona. Mas a verdade é só uma: ninguém tem dúvida sobre si mesmo.

Podemos passar anos nos dedicando a um emprego sabendo que ele não nos trará recompensa emocional. Podemos conviver com uma pessoa mesmo sabendo que ela não merece confiança. Fazemos essas escolhas por serem as mais sensatas ou práticas, mas nem sempre elas estão de acordo com os gritos de dentro, aquelas vozes que dizem: vá por este caminho, se preferir, mas você nasceu para o caminho oposto. Até mesmo a felicidade, tão propagada, pode ser uma opção contrária ao que intimamente desejamos. Você cumpre o ritual todinho, faz tudo como o esperado, e é feliz, puxa, como é feliz. E o grito lá dentro: mas você não queria ser feliz, queria viver!

Eu não sei se teria coragem de jogar tudo para o alto.
Sabe.
Eu não sei por que sou assim.
Sabe.

Novembro de 2001

Enquanto isso, nos bastidores do universo

Você planeja passar um longo tempo em outro país, trabalhando e estudando, mas o universo está preparando a chegada de um amor daqueles de tirar o chão, um amor que fará você jogar fora o seu atlas e criar raízes no quintal como se fosse uma figueira.

Você está muito satisfeita com o trabalho que tem. Se acabar seus dias fazendo o que faz, ficará mais do que agradecida, porém publicará no Instagram umas fotos incríveis que tirou de um santuário ecológico e essa postagem despretensiosa vai lhe abrir as portas para uma nova carreira que você nem suspeitava ser possível iniciar.

Você treina para a maratona mais desafiadora de todas, mas não chegará com as duas pernas intactas na hora da largada, e a primeira perplexidade será esta: a experiência da frustração. A segunda: durante a passagem pelo inferno fará amigos que lhe ofertarão uma nova maneira de encarar os dias, uma perspectiva que você não imaginava que existia e que também será desafiadora, só que de forma mais passiva.

Você não tinha certeza se queria filhos, mas todos em volta perguntavam: se não tiver, quem vai cuidar de você na velhice? Caiu nessa esparrela e hoje tem dois filhos amados – um é pesquisador na Antártica e a outra é dançarina em Moscou, ambos muito presentes pelo Skype, sem intenção de voltar.

Você sai toda bonita e cheirosa para encontrar seu namorado na casa dele, acreditando que será mais um encontro como os outros, mas no meio do caminho, num sinal fechado, é assaltada por um marginal armado que leva seu carro e sua confiança em noites que eram para ser apenas românticas.

Você sai toda bonita e cheirosa para encontrar seu namorado na casa dele, acreditando que será mais um encontro como os outros, e, ao chegar, se depara com um homem inspirado: ele sugere que você não saia mais de lá, que fique morando com ele.

O universo nunca entrega o que promete. Aliás, ele nunca prometeu nada, você é que escuta vozes.

No dia que você pensa que não tem nada a dizer para o analista, faz a revelação mais bombástica dos seus dois anos de terapia. O resultado de um exame de rotina coloca seu cotidiano de cabeça pra baixo. Quando achou que estava bela, não arrasou corações. Quando saiu sem maquiagem e com uma camiseta puída, chamou a atenção. E assim seguem os dias à prova de planejamento e contrariando nossas vontades, pois, por mais que tenhamos ensaiado nossa fala e estejamos preparados para a melhor cena, nos bastidores do universo alguém troca nosso papel no último minuto, tornando surpreendente a nossa vida.

Novembro de 2013

O nosso plural e o de vocês

Um dia eu e você fomos nós.

Nós viajávamos juntos em busca de trilhas distantes, nós descobríamos os detalhes de uma nova cidade percorrendo-a de bicicleta, nós tomávamos litros de vinho tinto durante o inverno gélido e também quando não fazia tanto frio assim, nós éramos os anfitriões dos amigos que vinham nos visitar e éramos, depois, a visita aguardada na casa deles, em retribuição. Nós éramos torcedores do mesmo clube de futebol e, em alguns casos, não torcíamos para ninguém, apenas para nós mesmos. Nós – o nome do nosso time. Nós – uma espécie de identidade secreta. Nós – o elenco da peça em que atuávamos: uma história de amor para dois personagens principais.

Como quase sempre acontece, às vezes cedo demais, às vezes com atraso, o "nós" se desmembra e volta a ser apenas eu e apenas você, dois times distintos, duas identidades avulsas, dois personagens que já não contracenam. Um final triste, mas digerível – a vida é assim, fazer o quê.

E então um dia você telefona para seu antigo amor e escuta do outro lado da linha algo inacreditável como "nós estamos de saída, poderia telefonar amanhã?".

Você está falando com seu ex. Uma unidade. Que "nós" é esse que não se refere mais a você e ele juntos?

Seu antigo par formou um novo plural. Ele voltou a ser nós. Você ainda é só você, um singular.

Onde foi parar a misericórdia? A sensibilidade recomenda não anunciar a nova condição conjugal antes de todos os corações estarem cicatrizados. O uso do pronome pessoal pode ser uma forma sutil de dizer que a fila andou, mas não ameniza o golpe. Um amigo me contou esse baque pelo qual passou e estou tentando fazer uma narrativa refinada do seu desalento, transformá-lo em poesia, literatura, canção, sei lá, encontrar alguma análise confortante para esse "nós" que ele pescou no ar, durante uma conversa trivial, um "nós" que já havia sido dele e que agora não lhe pertencia mais.

Só que não há como confortar. É natural que sejamos exclusivistas e nostálgicos em relação ao "nós" que era nosso, aquele "nós" que depois entrou num vácuo, se desfez, silenciou. O fim simultâneo do que era seu e de outra pessoa foi o último ato de intimidade entre vocês. Até o surgimento desse outro "nós" que agora pertence só a eles dois – e que te dói.

Outubro de 2017

Fator uau

Estava assistindo pela tevê uma matéria sobre o legado que a Olimpíada de Londres deixou em 2012, quando me deparei com uma expressão que explica muita coisa que acontece na vida da gente. Eles citaram certos prédios ingleses que prometiam ter vida útil depois dos jogos, mas que se transformaram em elefantes brancos porque careciam do que os britânicos chamam de fator "uau".

Fator "uau"? Que poder de síntese.

Duas palavrinhas, sendo que uma delas nem palavra é, e sim uma interjeição.

O que importa é que me valeu por inúmeras sessões de terapia, eu que já nem faço terapia. O que impede o avanço de algumas iniciativas é a ausência do fator "uau" e está dito, nada a acrescentar. Nem precisaria continuar com essa reflexão, mas como tenho uma página para preencher, continuarei, pegue uma carona comigo se interessar.

Você conhece uma pessoa simpática, inteligente, enfim, com os atributos básicos para motivar você a tomar ao menos um café com ela. E aí a relação de amor ou de amizade inicia, corre tudo bem, mas você não consegue levar adiante por muito tempo e seus amigos não entendem a razão de você ter desistido tão cedo. O que aconteceu? Não aconteceu nada. Justamente isso. Nada. Faltou o fator "uau", o encantamento diante do sorriso do outro, de suas histórias, de seu jeito. Faltou a palpitação diante da promessa de um novo encontro, faltou contar no relógio quantas horas faltavam para revê-la, faltou a sensação de ter em mãos um bilhete premiado, faltou o fascínio. O indispensável fascínio.

Você confere, gosta, mas não pretende repetir a experiência. Quantas vezes já passamos por isso, e não falo apenas sobre encontros pessoais, mas também de visitas a cidades, idas a restaurantes, leitura de livros.

Você lê um autor e pensa: ok, não foi um tempo perdido. Mas não correrá até a livraria para adquirir todos os títulos dele que encontrar.

Você conhece Berna e pensa: ok, bela cidade. Mas não volta à capital suíça como já voltou, ou pensa em voltar, a Paris, Istambul, Marrakesh.

Você jantou em diversos locais uma única vez e nunca mais. A comida estava ruim? Não exatamente. O ambiente era bonito? Bonitinho. Animado? Mais ou menos. O que aconteceu? Nada.

Ao contrário da garotada aventureira que se empolga com tudo e tem tempo de sobra para construir seu repertório, você não tem mais tanta vida pela frente para desperdiçar com o que não excita, não surpreende, não deixa você entusiasmado de verdade. Se é para ser meia-boca, mais vale deixar pra lá e dedicar-se a seus prazeres confirmados. Ok, bela cidade. Ok, jantar agradável. Ok, consegui me manter acordado durante a conversa. Mas ok é ok. Não é "uau".

Outubro de 2016

Andróginos

Uma das perguntas que mais fazem a escritores é sobre a diferença entre a literatura feminina e a literatura masculina. Eu nunca senti essa diferença de forma gritante. Em tese, TPM e parto podem ser melhor descritos por uma mulher do que por um homem, e assim entraríamos no terreno das vivências para diferenciar uma literatura de outra, mas acredito que, havendo talento, qualquer um escreve sobre qualquer coisa. Como já disse Virginia Woolf, todo artista é um andrógino.

As pessoas se inquietam com essa afirmação, como se estivéssemos dizendo que todo artista é um androide, quando é justamente o contrário. O artista não é programado para pensar como mulher ou como homem, para gostar de cor-de-rosa ou de azul, para ser mais romântico ou mais pragmático, segundo as generalizações impostas no berço. O artista é o oposto do androide, é desprogramado de nascença, aberto a todas as correntes de pensamento, dono de uma antena que capta os sentimentos mais contraditórios. O artista traz uma liberdade assustadora no peito e o ímpeto de expressá-la na sua dança, através de seus pincéis ou num palco. Não há juventude e velhice no ato da criação, não há livros escritos por cabeludos que sejam diferentes de livros escritos por calvos, não é o alcoolismo de um músico que o diferenciará de um músico abstêmio, somos todos diferentes na nossa percepção individual e unos na nossa descrença em relação a verdades únicas.

Todo artista é ao mesmo tempo o louco e o sensato. Artista é público e solitário, é quem se dá e se recebe de volta, encarna e desencarna, fala por João, por Maria e pelos bichos todos que traz dentro. Artista é o que toca no extremo.

Catalogar um artista como homem ou mulher e a partir daí tirar conclusões é percorrer um caminho muito curto para a compreensão da obra de alguém. Fumamos charuto (somos homens ou mulheres?), sentimos a ausência de um filho (somos homens ou mulheres?), ciumentos patológicos (somos homens ou mulheres?), gostamos de cozinhar (somos homens ou mulheres?). Somos pessoas que buscam o sentido da vida e que convidam a embarcar nessa viagem aqueles que não se preocupam de onde a viagem parte, mas para onde ela nos leva.

2003

A pessoa certa

Algumas frases se propagam sem que saibamos quem é o verdadeiro autor. É o caso de "Enquanto não surge o homem certo, vou me divertindo com os errados", que eu ouvi pela primeira vez num programa da jornalista Marília Gabriela – ou será que li numa camiseta? Que a frase é espirituosa, nem se discute, mas é uma cilada: buscar a pessoa certa, como ideia fixa, é a razão dos nossos problemas de relacionamento. Por que a gente insiste em acreditar em lendas?

Essa entidade abstrata – a pessoa certa – é aquela que vai entender todas as suas manias, vai adivinhar quando você quiser ficar em silêncio, terá o corpo e o rosto que você idealizou em seus delírios românticos, e a sua mãe – a sua, não dela – vai aprovar sua escolha assim que abrir a porta da sala de visita. Bastará uma rastreada com o olhar e logo ela piscará pra você como quem diz: agora sim.

Agora sim o quê? Agora você pensa que encontrou alguém com quem não irá brigar jamais e que vai se encaixar com perfeição na sua ambiciosa procura pela pessoa certa, esta que (atenção, spoiler) não existe.

A pessoa certa pra você é a errada. Lembra a pessoa errada?

Morava num cafundó. Ria alto. Não entendia muito os filmes de que você gostava, mas fazia comentários deliciosos a respeito. Era muito mais velha que você. Ou muito mais jovem que você. Não parava em emprego algum e sua coleção de ex era preocupante. Que saudade da pessoa errada.

Nunca acertou um único presente – mas lembrava de todas as datas. Depois de uma hora e meia ao telefone, queria falar um pouco mais e ficava triste se você sugeria que desligassem. Como amava você a pessoa errada.

Não conhecia nenhum de seus amigos. Nem você os dela. Fumava demais. Ou bebia demais. Ou ambos. Mas nunca teve passagem pela polícia. A fissuração por previsões astrológicas era meio exagerada, e já estava na hora de aprender a arrumar a bagunça que era seu apartamento, mas nunca deixou de sair do banho perfumada – molhando o chão do quarto, claro. Era a incorreção mais bem-vinda para aquele seu momento de entressafra, não era?

Até que surgiu a pessoa certa. Toda a família comemorou e os amigos respiraram aliviados: agora sim você tinha alguém a sua altura, agora sim, você não precisaria mais passar por altos e baixos, agora sim, nunca mais um barraco, nenhuma surpresa. Agora sim, um casal-padrão.

Quase posso ver você, daqui a uns meses, usando uma camiseta que diz: "Enquanto não surge a pessoa errada, vou me entediando com as certinhas".

MARÇO DE 2017

Eureka!

Cada semana, uma novidade. A última foi que pizza previne câncer do esôfago. Acho a maior graça. Tomate previne isso, cebola previne aquilo, chocolate faz bem, chocolate faz mal, um cálice diário de vinho não tem problema, qualquer gole de álcool é nocivo, tome água em abundância, mas não exagere... Diante dessa profusão de descobertas, acho mais seguro não mudar de hábitos. Sei direitinho o que faz bem e o que faz mal pra minha saúde.

Prazer faz muito bem. Dormir me deixa zero-quilômetro. Ler um bom livro faz eu me sentir nova em folha. Viajar me deixa tensa antes de embarcar, mas depois eu rejuvenesço uns cinco anos. Voos aéreos não me incham as pernas, e sim o cérebro, volto cheia de ideias.

Brigar me provoca arritmia cardíaca. Ver pessoas tendo acessos de estupidez me embrulha o estômago. Testemunhar gente jogando lata de cerveja pela janela do carro me faz perder toda a fé no ser humano. E telejornais os médicos deveriam proibir – como doem!

Essa história de que sexo faz bem pra pele acho que é conversa, mas mal tenho certeza de que não faz, então, pode-se abusar. Caminhar faz bem, dançar faz bem, ficar em silêncio quando uma discussão está pegando fogo faz muito bem: você exercita o autocontrole e ainda acorda no outro dia sem se sentir arrependido de nada.

Acordar de manhã arrependido do que disse ou do que fez ontem à noite é prejudicial à saúde. E passar o resto do dia sem coragem para pedir desculpas, pior ainda. Não pedir perdão pelas nossas mancadas dá câncer, não há tomate ou muzzarela que previna.

Ir ao cinema, conseguir um lugar central nas fileiras do fundo, não ter ninguém atrapalhando sua visão, nenhum celular tocando e o filme ser excepcionalmente bom, uau! Cinema é melhor pra saúde do que pipoca. Conversa é melhor do que piada. Beijar é melhor do que fumar. Exercício é melhor do que cirurgia. Humor é melhor do que rancor. Amigos são melhores do que gente influente. Economia é melhor do que dívida. Pergunta é melhor do que dúvida.

Tomo pouca água, bebo mais de um cálice de vinho por dia, faz dois meses que não piso na academia, mas tenho dormido bem, trabalhado bastante, encontrado meus amigos, ido ao cinema e confiado que tudo isso pode me levar a uma idade avançada. Sonhar é melhor do que nada.

2003

Em que você está pensando?

Estava participando de um evento, quando uma moça se aproximou de mim e disse: "Gostaria de saber sua opinião: sempre que eu pergunto para o meu marido sobre o que ele está pensando, ele responde que não está pensando em nada. Isso é possível?".

Não, não é possível, respondi. Não é possível que você pergunte para o seu marido sobre o que ele está pensando. Você não tem pena do coitado?

Rimos, e trocamos de assunto.

O fato é que não é só ela. Muitas vezes compartilhamos o silêncio com alguém que amamos muito, mas o amor nem sempre é blindagem suficiente contra a insegurança, e aí aquele silêncio vai se tornando incômodo, aflitivo, até que, pra não deixar o caladão ou a caladona fugir para muito longe, surge a invasiva pergunta: "No que você está pensando?".

Pode acontecer durante uma viagem de carro, durante uma caminhada, até mesmo em frente à tevê: "No que você está pensando?".

Estava pensando se o bolo desandou por eu ter colocado farinha de rosca em vez de farinha de trigo. Estava tentando lembrar se foi o Robert Downey Jr. que fez o papel de Gandhi no cinema. Estava procurando entender como o elefante, sendo herbívoro, consegue ser tão gordo.

Como diria Olavo Bilac, certo perdeste o senso.

O pensamento é sagrado, o único território livre de patrulha, livre de julgamentos, livre de investigações, livre, livre, livre. Área de recreação da loucura. Espaço aberto para a imaginação. Paraíso inviolável. Se estivermos estranhamente quietos num momento em que o natural seria estarmos desabafando, ok, é bacana que quem esteja a nosso lado demonstre atenção. Você está aborrecido comigo? Está preocupado? Quer conversar? Está precisando de alguma coisa? Quem gosta de nós percebe quando nosso silêncio é uma manifestação de sofrimento ou desagrado, e nos convocar para um diálogo é uma tentativa de ajudar.

Mas durante uma viagem de carro em que está tudo numa boa e você apenas aprecia a paisagem? Durante uma caminhada no parque em que você está observando as diferentes tonalidades de verde das árvores? Na frente da tevê, quando você está fixado na entrevista do seu cineasta preferido? Esse é o silêncio da paz, do sossego, e não merece ser interrompido por suspeitas. Sim, até pode ser que você esteja pensando, durante a viagem, que o relacionamento de vocês também já foi longe demais. E que o parque seria um belo local para um encontro clandestino. De preferência com o cineasta da entrevista, que você nem imaginava ser tão bonitão. Sim, pode ser.

Em que você está pensando?

Em nada, meu bem. Em nada.

MAIO DE 2010

Kafka e os estudos

Fui uma aluna, digamos, razoável. Tirava notas boas, passava quase sempre por média, mas era desinteressada. Estudava o suficiente para passar de ano, mas não aprendia de verdade. Assim que alcançava as notas que me aprovariam, tudo o que eu havia decorado evaporava da minha cabeça. Não tenho orgulho nenhum em contar isso, me arrependo bastante de não ter prestado atenção pra valer nas aulas e de não saber mais sobre história, em especial. Mas foi assim. E só fui compreender as razões desse meu desligamento ao ler *Carta ao pai,* de Franz Kafka.

Nessa carta, ele a certa altura admite que estudou mas não aprendeu nada, apesar de ter uma memória mediana e uma capacidade de compreensão que não era das piores. Considerava lastimável o que havia lhe ficado em termos de conhecimento. Disse mais ainda, e nisso exagerou: que seus anos na escola haviam sido um desperdício de tempo e dinheiro.

Estudar nunca é um desperdício, mas quando li essa confissão audaciosa eu quis saber mais. O que aconteceu, afinal? A justificativa: ele sempre teve uma preocupação profunda com a afirmação espiritual da sua existência, a tal ponto que todo o resto lhe era indiferente.

Há em "afirmação espiritual da existência" solenidade demais para descrever a menina que fui, mas era mais ou menos desse jeito que a coisa se dava. O que eu queria aprender de verdade não passava nem perto do quadro-negro. O que me interessava – e interessa até hoje – eram as relações humanas, e tudo de mágico e de trágico que elas representam numa vida.

Entre os 7 e os 17 anos, eu tinha urgência em estudar o caminho mais curto para ser amada. A escola era como um país estrangeiro. Pela primeira vez eu não estava em casa, nem em segurança. Tinha que aprender como fazer amizades e mantê-las, como demonstrar emoções sem me fragilizar, como enfrentar agressões sem cair em prantos, como explicar minhas ideias sem me contradizer, como ser franca e ao mesmo tempo não ofender os colegas, e nisso gastei infindáveis manhãs e tardes prestando atenção em mim e nos outros – pouco nas lições.

Havia um pátio, havia um bar, havia um portão fechado, havia os banheiros e a biblioteca, e tudo era desafiador. Eu tinha que descobrir em mim a coragem para quebrar certas regras, fumar escondido, namorar. Ficava muito atenta às diferenças entre sabedoria e hierarquia: não era possível que os professores estivessem sempre certos e os alunos, errados. E as matérias me pareciam tão inúteis... Matemática, química e física me eram desnecessárias, eu queria saber sobre teatro, música, filosofia, psicologia, sexo, paixão, eu queria entender o que me fazia ficar zangada ou em êxtase, eu queria aprender mais sobre melancolia, desespero, solidão, eu tinha especial atração pelas guerras familiares e pelas mentiras que sustentam a sociedade, eu queria ter conhecimento sobre ironia, ter domínio sobre o pensamento, entender por que alguns gostavam de mim e outros me esnobavam, lutar contra o que me angustiava. Inocente, queria saber como se fazia para ter certezas. Eu, que tirava nota máxima em bom comportamento, precisava urgentemente que me explicassem o que fazer com o resto de mim, com aquilo que eu não usufruía, a parte errada do meu ser.

"Afirmação espiritual da existência". Da escola saí faz tempo, mas nunca parei de me estudar. E Kafka, quem diria, acabou sendo um bom professor.

Setembro de 2004

Só temos esta

Lido razoavelmente bem com a ideia da morte. Considero-a uma balizadora – diria até que uma aliada. Ter consciência tranquila da morte dá à vida um sabor menos azedo e nos faz valorizar cada pequeno milagre diário, em vez de esperar por uma guinada gigantesca que quase nunca acontece.

Confúcio, filósofo chinês, tem uma frase diabólica sobre esse assunto: "Nós temos duas vidas e a segunda começa no dia em que nos damos conta de que temos apenas uma".

Cerca de onze anos atrás, recebi uma notícia que poderia ter sido desestabilizadora: havia grande chance de eu estar com câncer. A certeza só viria depois de fazer um exame minucioso cujo resultado sairia em três dias. Durante três dias convivi com essa espada sobre a cabeça. Muitos talvez pensem que foi então que descobri que só possuía uma vida, mas não. Bem antes disso eu já a desfrutava como sendo única. Por isso, quando surgiu aquela notícia que poderia ter sido desestabilizadora, não me desestabilizei. Já vivia como se fosse uma sobrevivente muito antes de esse diagnóstico chegar às minhas mãos. Estava satisfeita com o meu histórico até ali, e, se tudo acabasse mais cedo do que o desejado, não seria perda total. Então, durante esses três dias, afora a preocupação com as minhas filhas, nada mudou. Não senti que estava passando por um divisor de águas. Quando o resultado do exame acusou nada de grave, suspirei de alívio e continuei a fazer o que estava fazendo. Não virei outra pessoa. Não nasci de novo.

A frase de Confúcio sugere que o momento de dar-se conta de que a vida é única pode também margear alguma data redonda da maturidade. Aos 40? 50? 60? São idades emblemáticas, em que a perspectiva do fim realmente assusta e tomamos decisões radicais que antes não tínhamos coragem: separar, tirar um ano sabático, fazer uma viagem ritualística, colocar em prática um projeto, casar de novo, enfim, o famoso "correr atrás" com o fôlego que resta. Mas a iluminação pode acontecer aos 18. Aos 21. Aos 26. Agora, por exemplo.

Não, não me venha falar em vida eterna. Deus me livre da vida eterna. Sinto calafrios só de imaginar que é possível que nada acabe, nem eu. Caso eu lhe pareça uma herege, seja misericordioso, me ofereça seu perdão e toque em frente. Nem perca seu tempo me enviando mensagens desaforadas ou tentando fazer com que eu mude de ideia. Sou um caso perdido. Dedique-se há quem ainda tem salvação.

Mas se você, como eu, acredita que um dia tudo terminará, não espere por um diagnóstico, não espere uma data redonda, não espere que algo grandioso aconteça para começar a fazer o que tem vontade. Ter nascido já foi grandioso o suficiente.

Setembro de 2016

A sogra do meu marido

Dizem que sogra implica com as noras e mimam demais os genros. Que sogra se mete na vida do casal, que faz intriga e que só falta colocar um colchão na sala e se instalar pra sempre. Que sogra fala demais. E se não fala, aí é que é mais perigosa. Que sogra parece que adivinha o horário mais inconveniente para telefonar. Isso foi o que eu ouvi falar, pois minha experiência no assunto é zero. Não tive sogra. A única sogra que eu conheço é a do meu marido.

A sogra do meu marido desmente todos os clichês acima relacionados. Ela é a pessoa mais discreta que eu conheço. Nunca deu palpite sobre a vida íntima do genro nem da mulher dele, a não ser nas vezes em que foi convidada a dar sua opinião. Dizem que sogra é abusada. Pois a do meu marido só abusa no tato e no respeito. Nunca apareceu sem avisar, nunca se escalou para finais de semana, nunca abriu panelas e xeretou o tempero. Ao mesmo tempo, não é visita: é gente da casa. Sempre soube ser bem-vinda.

A sogra do meu marido é alegre e vaidosa. Nunca foi vista de pijama, roupão, grampo no cabelo e outras alegorias que os chargistas adoram vestir nas sogras. Ela gosta de música, discute cinema, dá presentes bons e elogios rasgados. Sorri muito e torna qualquer ambiente agradável. Cara fechada não é com ela.

A sogra do meu marido cozinha para si mesma, é independente e não reclama da vida. Aceita caronas com relutância, pois gosta de dirigir seu próprio carro e mais ainda de andar a pé. E quando recebe em sua casa, é sempre uma festa. Prepara os pratos que o pessoal mais gosta, põe uma mesa de dar gosto, deixa todo mundo à vontade. É uma mãe para todos, uma mulher para ela mesma e uma "sogra" para ninguém.

Além disso, a sogra do meu marido é a melhor avó que uma criança poderia sonhar. Conta histórias mais originais que as de Harry Potter, inventa brincadeiras engraçadas, está disponível para aventuras e é boa de abraçar.

Alguém já escreveu que todo homem detesta a própria sogra porque ela antecipa o que a sua mulher provavelmente se tornará. Se é mesmo verdade que as sogras são todas ranzinzas e intrometidas, então esses caras estão mesmo numa sinuca. Eu prefiro achar que as sogras de hoje são criativas, divertidas e amorosas, e sabem muito bem estar por perto sem sufocar ninguém, até porque elas têm mais o que fazer da vida. Isso se elas forem como a sogra do meu marido, em quem um dia pretendo me espelhar.

Maio de 2001

Sexo é o novo amor

Sexo é sinônimo de prazer. Erotismo, luxúria, pecado, sacanagem. O sexo traz em si um cenário de mil e uma noites de promessas, todas voltadas para a volúpia. Quem nunca praticou, é tomado por fantasias libidinosas extraídas do cinema, das revistas masculinas e de piadas e relatos picantes que garantem não existir nada melhor na vida, para horror dos sentimentais e dos pudicos. Sexo melhor que amor? Heresia, fim do mundo.

Faltou dizer que sexo não é apenas prazer: ele é plural, reúne uma conjunção de sensações físicas de alta intensidade que comovem e podem nos levar à paixão – senão pelo outro, com certeza por nós mesmos, tamanho é o processo de autoconhecimento que ele dispara. Não estou falando, obviamente, dos encontros de uma noite só, as chamadas "one-night stand", em que mal se sabe o nome da pessoa com quem estamos e cuja finalidade é praticamente aeróbica, uma aventura para apimentar o cotidiano. Ato sexual não é a mesma coisa que relação sexual.

Quando há relação, todos os sentimentos do mundo invadem a cama – e de uma forma tão contraditória que começa aí o espanto e a graça da coisa. Podemos, em nossa rotina de trabalho, ser um funcionário obediente, cumpridor de horários, servo de nossos patrões, e à noite, na cama, sermos dominadores, entrando no jogo erótico de assumir o controle e dar ordens. Ou, ao contrário: depois de um dia liderando e estimulando vários profissionais, à noite nos tornarmos submissos sobre os lençóis, a ponto de escutarmos palavras que normalmente nos ofenderiam e humilhariam, mas que naquele momento se prestam ao cenário e à cena: excitação resulta de alguma performance também.

Essa variação de comportamento, ao mesmo tempo inocente e indecente, só é possível porque temos a segurança de saber que naquele instante não haverá julgamento moral, e sim entrega absoluta – e rara. Sexo envolve plena confiança, ou ficaríamos travados, temendo cair no ridículo. Desperta a coragem para permitir que nossos desejos mais secretos sejam expostos e realizados. Exige compreensão do tempo que cada um precisa para se desnudar de seus pudores. Requer um olhar generoso e terno para a desinibição do outro e, sobretudo, inteligência – sim, inteligência – para lidar com tudo que há de estranho, ilógico e dicotômico nesse embate íntimo. Costumamos valorizar o corpão (que a maioria não tem), mas uma cabeça boa é que faz toda a diferença entre o sexo vigoroso e o sexo protocolar.

Diante dessa universalidade de sensações, faz sentido dizer que sexo vale menos que amor? Essa hierarquia só existe para os excessivamente românticos, apegados aos contos de fada. Não é por acaso que transar é sinônimo de "fazer amor", pois é disso mesmo que se trata, de um êxtase emocional e não apenas físico (ainda que "fazer amor" seja uma expressão enjoada). Sexo pode ser bandido, perverso e impuro em sua essência, nunca em sua conotação. Em análise, sexo é sublime também.

MAIO DE 2017

Vida resolvida

Conversávamos sobre um amigo que ainda reluta sobre o que gostaria de ser quando crescer, quando uma velha senhora que nos escutava liquidou o assunto: "Pouca vergonha. No meu tempo, aos 35 anos, as pessoas já estavam com a vida resolvida".

O amigo, em questão, tem exatamente 35 anos, casou e separou, não tem filhos e está pensando em fazer outro curso na universidade, já que não se adaptou à primeira profissão que escolheu. De fato, ele não está com a vida resolvida.

Até pouco tempo atrás era assim, tínhamos um norte a seguir: escolhíamos um par e um trabalho, e dali por diante seríamos sensatos se não trocássemos mais de rumo, gozando a aposentadoria dos desejos. Nunca mais se preocupar com nada, apenas aproveitar a tal vida resolvida.

Havia quem simulasse direitinho a acomodação, mas se já naquela época o apaziguamento não era tão bem resolvido assim, imagine hoje.

Hoje, minha senhora, a vida resolvida fica para depois que o vivente bater as botas. Aí sim, estará tudo resolvido, bem resolvido, três palmos abaixo da terra. Antes, tem nada resolvido. Nada.

No fluir dos dias deste século XXI, deixamos de ser adolescentes indecisos para nos tornar adultos indecisos, mas vamos tateando, vamos experimentando, que a palavra experiência é que tem justificado todas as atitudes: a experiência de um hobby, de uma viagem, de um amor, de outro amor, e de outro mais. A experiência de trabalhar com fotografia e depois trocar pela experiência de trabalhar como professor de violoncelo, e então dirigir um documentário sobre uma orquestra mirim. E depois abrir um restaurante vietnamita, que logo fechará porque surgiu a oportunidade de viver uma experiência botânica num parque no interior de Goiás. Sonhos prestes a se realizarem, até que outros sonhos chamem e novas experiências se descortinem: a palavra movimento também está muito em uso, vale lembrar.

Experiência e movimento, dupla dinâmica – dinâmica mesmo – que veio substituir casamento, família e profissão, o trio que amarrava o cristão numa vida resolvida.

Bem vertiginosos esses novos tempos, em que é permitido querer tudo e querer mais, em que ser considerado uma pessoa de confiança não implica criar raízes numa única cidade, e tampouco ter uma única mulher ou um único marido para sempre, mas alguns ao longo de uma vida longa. Filhos do primeiro casamento, do segundo – e no terceiro, aleluia, a lua de mel merecida, com os netos visitando de vez em quando. Inventam-se atividades conforme a demanda: ainda haverá cursos profissionalizantes daqui a alguns anos? A conclusão de uma faculdade será requisito fundamental para garantir um futuro? Ainda existirá futuro, ou o tempo se resumirá a um eterno presente, renovável a cada segunda-feira?

Experiência, movimento.
A vida resolvida era segura, mas muito parada.

NOVEMBRO DE 2015

Uma oração para os novos tempos

Que honremos o fato de ter nascido, e que saibamos desde cedo que não basta rezar um Pai-nosso para quitar as falhas que cometemos diariamente. Essa é uma forma preguiçosa de ser bom. O sagrado está em nossa essência e se manifesta em nossos atos de boa-fé e generosidade, frutos de uma percepção profunda do universo, e não de ocasião. Se não estamos focados no bem, nossa aclamada religiosidade perde o sentido.

Que se perceba que, quando estamos dançando, festejando, namorando, brindando, abraçando, sorrindo e fazendo graça, estamos homenageando a vida, e não a maculando. Que sejam muitos esses momentos de comemoração e alegria compartilhados, pois atraem a melhor das energias. Sentir-se alegre não deveria causar desconfiança, o espírito leve só enriquece o ser humano, pois é condição primordial para fazer feliz a quem nos rodeia.

Que estejamos sempre abertos, se não escancaradamente, ao menos de forma a possibilitar uma entrada de luz pelas frestas. Que nunca estejamos lacrados para receber o que a vida traz. Novidade não é sinônimo de invasão, deturpação ou violência. Acreditemos que o novo é elemento de reflexão: merece ser avaliado sem preconceito ou censura prévia.

Que tenhamos com a morte uma relação amistosa, já que ela não é apenas portadora de más notícias. Ela também ensina que não vale a pena se desgastar com pequenas coisas, pois no período de mais alguns anos estaremos todos com o destino sacramentado, invariavelmente. Perder tempo com picuinhas é só isso, perder tempo.

Que valorizemos nossos amigos mais íntimos, as verdadeiras relações pra sempre.

Que sejamos bem-humorados, porque o humor revela consciência da nossa insignificância – os que não sabem brincar se consideram superiores, porém não conquistam o respeito alheio que tanto almejam.

Que o mar esteja sempre azul, que o céu seja farto de estrelas, que o vinho nunca seja racionado, que o amor seja respeitado em todas as suas formas, que nossos sentimentos não sejam em vão, que saibamos apreciar o belo, que percebamos o ridículo das ideias estanques e inflexíveis, que leiamos muitos livros, que escutemos muita música, que amemos de corpo e alma, que sejamos mais práticos do que teóricos, mais fáceis do que difíceis, mais saudáveis do que neurastênicos, e que não tenhamos tanto medo da palavra felicidade, que designa apenas o conforto de estar onde se está, de ser o que se é e de não ter medo, já que o medo infecciona a mente.

Que nosso Deus, seja qual for, não nos condene, não nos exija penitências, seja um amigo para todas as horas, sem subtrair nossa inteligência, nosso prazer e nossa entrega às emoções que nos fazem sentir plenos.

A vida é um presente, e desfrutá-la com leveza, inteligência e tolerância é a melhor forma de agradecer – aliás, a única.

Novembro de 2013

A escolhida

Dizem – ou fui eu mesma que disse, não lembro – que felicidade depende apenas de sorte e escolhas bem-feitas. Será? A gente sabe que nada é assim tão sistemático, ainda mais tratando-se de assuntos complexos, mas tenho simpatia por essa definição, que me parece realista. Sorte é quesito essencial para tudo, o que não significa que a gente deva lavar as mãos e esperar por ela sentado. A sorte pede que a gente faça a nossa parte: desarmar o espírito para merecê-la. E escolhas bem-feitas, bom, isso é resultado de intuição + autoconhecimento + inteligência. Ou seja, tem que ter talento e foco, não basta fazer uni-duni-tê. Dito isso, gostaria de fazer uma revelação: tive muita sorte na vida e fiz várias escolhas bem-feitas, mas cansei. Trégua. Por algum tempo, adoraria não escolher mais nada, e sim ser escolhida.

Objeto de desejo do destino: eu.

Vestindo qualquer roupa, sem nenhum artifício de sedução, sendo quem sou no que sou de imperfeita, ele se aproxima: o amor. Aponta para mim feito um Tio Sam, convocando: *I want you*. Não para servi-lo, já que ser escolhida não implica ser gueixa do amor, mas convocada para incrementar a vida a dois, ter momentos alegres, sexo sem tabus, confiança cega, um projeto compartilhado de crescimento, total prazer. Eu, a escolhida para esse projeto-piloto de felicidade. Eu, que estava sossegada no meu canto, com preguiça até de passar um batom.

Objeto do desejo dos amigos também: todos eles espontaneamente batendo à minha porta sem precisarem de convite, atendendo apenas à vontade de se ver. Sem ocasião especial, me escolhem e me acolhem, me percebem, me compreendem, não me exigem confidências, não pedem nada em troca, apenas estão por perto dizendo a palavra certa.

Eu, logo depois do par ou ímpar, ser a primeira escolhida a fazer parte de um time. A escolhida para dançar a música mais bonita. A eleita, entre tantas, para tornar mais doce a vida de quem está se azedando, a que foi convocada para entrar para a família, a que foi dispensada de prestar contas – ser dispensada às vezes é um bom reverso da escolha.

Quero ser escolhida não para prêmios e louvores, não para os caprichos da vaidade: quero ser escolhida para o inusitado e o irreal, para acompanhar alguém numa viagem, para ir ao cinema, para dar um beijo em caráter de urgência – me dá um beijo agora senão eu morro.

Quero olhar para o lado, inadvertidamente, e encontrar alguém sorrindo para mim, quero receber uma mensagem, ser o sonho de um estranho, a musa inspiradora de um poema, mesmo sem ser bela e diáfana. Ser o projeto secreto de um desconhecido.

Escolhida no desamparo, escolhida no meio da tarde, surpreendida. Sem ter tido de antemão nenhum objetivo, sem ter rezado uma prece e coisa alguma ter prometido.

Escolhida porque a vida tem disso, oferece uns presentes sem data festiva, ela chega com flores quando não é aniversário nem nada, a vida escolhe justamente os mais distraídos, aqueles que nem estavam pensando nisso.

Droga, eu estou pensando nisso.

Inédita

Adeus à dor

Vou lhe dizer certas coisas porque acho que você está preparado para ouvir, mas se eu for longe demais, me interrompa. Reconheço que é preciso muita delicadeza para tocar na dor do outro, e é o que vou fazer, tocar na sua.

Não importa agora a razão de vocês terem se separado, mas separaram. Foi dilacerante, eu sei. Você não esperava, não queria e não se conforma até hoje. Mas aconteceu. Se acredita que é possível um reatamento, tente. Não dá? Entendo, você me disse que não há mais nenhuma chance de retorno, nenhuma. Então, passados dois anos, está na hora de você enfrentar mais uma despedida. É. Mais uma. Você pensa não ter forças para outro final, mas tem. Precisa ter. Porque este será o final definitivo, o final que vai liberar você para a vida que merece ter. Você terá que dizer adeus para sua dor.

As pessoas se perguntam se não haveria uma fórmula mágica para tirar da cabeça aquele ex-amor que ainda atormenta. Não é bem uma fórmula, mas há um recurso: reconhecer que a dor que você carrega ainda é um vínculo. A dor preenche o seu vazio. A dor é o substituto que restou de uma história que não existe mais. A dor é uma aliança com o seu passado. Você tirou a aliança do seu dedo – foi uma cena triste, posso imaginar. Você lembra em que momento foi? Antes de dormir? Durante um acesso de raiva? Jogou-a longe? Deu para um mendigo? Derreteu? Vendeu? Guardou? Não há nada de errado em guardar numa gaveta, num cofre, num porta-joias – desde que você não a esteja usando mais.

Mas você ainda usa a sua dor. Usa para se proteger contra novos amores, para lembrar que foi amado, para reunir os amigos em torno de si, para impedir que todo aquele investimento afetivo evapore.

Faz parte do luto, eu sei. Mas basta. Chega. Tire essa dor de dentro de você como um dia tirou a aliança. Prepare um ritual, se quiser. Faça uma cerimônia de adeus. Anote num papel tudo o que você quer que suma da sua vida: mágoa, rancor, desesperança, tristeza, pensamentos obsessivos, amargura. Coloque todos os papeizinhos no bolso e saia para caminhar. Vá escutando músicas que te emocionem. Durante a caminhada, deixe cada papelzinho numa lixeira diferente. E retorne a casa consciente de que não está voltando para o passado, mas iniciando um futuro. Se puder fazer isso numa cidade diferente da que mora, ou ao menos num bairro afastado, melhor ainda. Deixe lá sua dor e nunca mais volte para buscá-la.

Você se sentirá ridículo, porque é ridículo mesmo (não comente nem com seu analista), mas pode funcionar. Se tiver uma ideia melhor, coloque-a em prática. Seja criativo.

Despedir-se de uma pessoa é difícil. Despedir-se da dor é ainda pior, pois, sem a pessoa a seu lado e sem a dor que a ausência dela provoca, sobrará o quê?

É o que você irá descobrir.

Inédita

Medo de intimidade

Intimidade não é sexo, não é dar beijo, abraço, amasso. Essas são manifestações de carinho e de desejo que estabelecem um vínculo provisório – a evolução para a intimidade permanente dependerá de fatores bem mais profundos.

Tenho reparado que, quanto mais carente é a pessoa, mais ela evita intimidade, o que é contraditório. Se a pessoa sente falta de receber atenção e mimos, por que ela faz de conta que se basta? Não preciso ir longe ao encontro da resposta: olho para trás e vejo que eu mesma fui uma adolescente insegura e refratária a contatos físicos muito exagerados – preferia que gostassem de mim a certa distância. Estratégia de autoproteção: tinha medo que chegassem muito perto das minhas feridas da alma.

Qual o adolescente que não tem as suas, mesmo que fruto de alguma fantasia?

Até que um dia a gente se liberta dessas paranoias. Crescer, digo crescer de verdade, por dentro e por fora, de forma realmente amadurecida, implica assumir-se como um ser falível, mas que não se acovarda diante da vida. À medida que nos tornamos gentis conosco, passamos a enfrentar nossas carências em vez de mascará-las, e isso faz com que passemos a permitir que os outros se aproximem o suficiente para nos enxergarem como realmente somos, a fim de nos ajudarem no estimulante processo de autoconhecimento. Como é que vou me conhecer se não dou espaço para minhas fragilidades virem à tona? Como é que vou superar minhas dificuldades se não confrontá-las com as dificuldades dos outros? Como é que vou curar aquelas tais feridas da alma se não faço outra coisa a não ser disfarçá-las?

É através da intimidade que construímos relações sólidas de amor e de amizade, só que isso não se estabelece em encontros ocasionais – é preciso abrir-se e confiar. Não em qualquer estranho, obviamente, mas naqueles que reconhecemos como potenciais parceiros para a vida inteira. Sem temer ser abandonado. Não é fácil, eu sei. Intimidade é para os raçudos.

Temos vários parentes, temos amigos de longa data, temos parceiros conjugais, e mesmo com todo esse arsenal afetivo, é possível passarmos uma vida inteira sem estabelecer com eles laços de verdadeira intimidade, tudo porque nos sentimos mais confortáveis representando o papel de autossuficientes – uma couraça que evita que sejamos machucados. Porém, já não será dolorido o suficiente viver assim tão isolado em seus sentimentos mais íntimos? Que coisa cansativa usar a solidão como um escudo perpétuo. O que parece defesa contra os outros é só uma tentativa de não enxergar que o verdadeiro inimigo está dentro de nós, nos impedindo de experimentar conexões elevadas e arrebatadoras que poderiam tornar nossa vida infinitamente mais plena.

Inédita

A sério

"Não se leve tão a sério" virou um clichê surrado, vivem repetindo esse conselho nos nossos ouvidos, porém poucos escutam. A maioria continua se levando ridiculamente a sério enquanto faz pouco-caso da vida. Deveria ser o contrário.

A pessoa que se leva muito a sério torna-se patética. Ela é magoada de nascença, se deixa tomar pela vaidade, acredita mesmo que é muito especial, vive como se o mundo estivesse de olho nela o tempo todo. A pessoa que se leva muito a sério não compreende que mais vale um companheiro de bar do que um adulador, que as emoções genuínas são as melhores conquistas e que o resto são meras distrações enquanto a morte não chega. A pessoa que se leva muito a sério se preocupa demais com a opinião dos outros. E o mais incrível é que, enquanto ela gasta uma tremenda energia para manter uma autoimagem impecável, acaba se descuidando do que deveria realmente focar: sua postura em relação à sociedade.

Quanto mais a pessoa cultua o próprio umbigo, menos se dedica a cumprir seus compromissos com pontualidade, a oferecer uma palavra amorosa a alguém que precisa, a demonstrar seu interesse pelos que a cercam, a não deixar os outros esperando por uma resposta. Vive no planeta "eu" e desmerece o entorno – não está nem aí se deixa rastros de sujeira pelo chão, se descumpre regras de trânsito, se não retorna telefonemas e e-mails, se falta a consultas sem desmarcar antes, se é *blasé* com estranhos. Ela está muito ocupada levando-se a sério.

Inverta, criatura.

Somos um grão de areia, daqui a alguns anos nem seremos mais lembrados, a não ser que tenhamos sido generosos, agradáveis e tivermos repartido nosso conhecimento. Ninguém veio ao mundo para nos servir nem para ser servidos por nós: hierarquia é uma invenção de quem acredita que há distinção entre as pessoas. Temos todos a mesmíssima importância, que é mínima se avaliada individualmente, mas poderá ter alguma relevância se desapegarmos do ego. Baixemos a crista.

Leve a sério o sentimento dos outros. Leve a sério seus compromissos. Leve a sério seu trabalho. Leve a sério quem você ama. Assim, a vida flui, desliza, responde positivamente. Só então, não precisando correr atrás do prejuízo, não precisando consertar estragos, não precisando demorar-se em explicações e reatamentos, sobrará tempo e estímulo para a coisa mais séria que existe: divertir-se.

INÉDITA

Sobre a autora

Martha Medeiros é gaúcha e formou-se em Comunicação Social/ Publicidade e Propaganda pela PUC do Rio Grande do Sul. Trabalhou durante treze anos como redatora e diretora de criação em diversas agências, quando então passou a se dedicar exclusivamente à literatura e às colunas de jornal. Publicou vários livros de crônicas e algumas ficções. Uma das mais bem-sucedidas, *Divã* foi adaptada como peça de teatro e virou minissérie na TV Globo. Em 2018, lançou *Non-Stop*, primeira coletânea de crônicas em inglês, com distribuição na Inglaterra e Estados Unidos. No total, já publicou 26 livros.

A escritora é colunista dos jornais *Zero Hora* (RS), *Diário Catarinense* (SC) e *O Globo* (RJ), cujas crônicas são reproduzidas em vários outros estados do país. Em setembro de 2018 estreou seu próprio canal no YouTube: "MdeMartha". Vive em Porto Alegre com as duas filhas.